I0682581

Club
PASSION

Dans la même collection

KATHLEEN CREIGHTON

LA FILLE DE L'HIVER

PRESSES DE LA CITÉ
PARIS

Titre original :
WINTER'S DAUGHTER

Première édition publiée par Bantam Books, Inc., New York, dans la collection Loveswept ®. Loveswept est une marque déposée de Bantam Books, Inc.

Traduction française de Florence Tarman

1

LE soleil levant de janvier effleura le vagabond en le réchauffant doucement. Il s'étira, se gratta puis sortit une flasque de sa poche. Avec soin, il en dévissa le bouchon et s'emplit la bouche du liquide ambré. Tout en se rinçant le palais, il en cracha un peu sur le revers de son manteau et sur le tricot crasseux qu'il portait en dessous. Enfin, après un regard furtif autour de lui, il se pencha et rejeta le whisky sur l'herbe.

Alors qu'il fourrait la bouteille sous ses vêtements, il remarqua une pauvresse poussant devant elle un chariot de supermarché. Le soleil du matin l'éclairait de dos en allongeant démesurément son ombre. Sur des cheveux secs et épars, elle portait un bonnet de laine violet surmonté d'un pompon. Le mendiant se cala confortablement contre un pot de fleurs de béton et observa la silhouette au pompon clopiner vers lui. Il se demanda depuis combien de temps cette femme vivait dans la rue. Jamais auparavant il ne l'avait vue dans le coin.

– Bonjour, vous! articula l'ombre qui venait de se planter devant son soleil.

D'un geste du pouce, l'homme releva sa vieille casquette de base-ball et lorgna la vagabonde.

Son visage buriné et ridé lui souriait, découvrant les yeux les plus bleus et les plus clairs qu'il eût jamais vus, réplique fidèle d'un ciel d'hiver. Un déclic se produisit en lui. Il éprouva l'impression bizarre qu'il la connaissait déjà et devinait qu'elle avait dû être très belle. Plus jeune et, jouissant d'une vie plus heureuse, elle aurait certainement répondu aux fantaisies de gamin qui naissaient en lui durant ces longs après-midi passés dans les salles obscures. Agréablement surpris, il murmura un bonjour et sa campa sur ses pieds.

– Je m'appelle Win, déclara-t-elle en se penchant au-dessus de son chariot pour lui tendre une main couverte d'un gant mité.

En la serrant, le clochard remarqua que son regard bleu pâle s'assombrissait.

« Pas étonnant, pensa-t-il. Elle a dû sentir que mon haleine empestait l'alcool. »

Cependant, l'expression qu'il lisait reflétait la pitié plutôt que le dégoût. Des profondeurs de son chariot, elle tira une orange qu'elle lui glissa dans les mains.

– Voilà un petit déjeuner, proposa-t-elle. Vous vous sentirez mieux après ça.

Sur ces paroles, elle se remit en route.

– Attendez! lui cria-t-il.

Il avait la sensation d'avoir découvert une pierre précieuse au milieu de sables mouvants.

8

S'il ne s'en emparait pas maintenant, il la perdrait pour toujours.

La vagabonde s'arrêta puis se retourna, les sourcils levés en signe de surprise. Pris d'une inspiration subite, l'homme arracha une fleur bleue du pot de ciment.

– Tenez, dit-il en la lui tendant. Pour vous remercier du petit déjeuner.

Son sourire devint radieux et, tandis qu'elle murmurait un merci, il crut deviner dans son souffle un léger sanglot. Elle planta la fleur dans son bonnet de laine puis, lui faisant signe de sa main gantée, reprit son chemin.

Dustin James la regarda s'éloigner, faisant rouler l'orange entre ses paumes. Perplexe, il fronça les sourcils. Cela faisait longtemps qu'il n'était pas descendu dans la rue et ses réflexes de policier s'étaient émoussés. Rouillés peut-être, mais pas morts... L'acte charitable de cette femme l'avait ému et son charme naturel l'avait bouleversé. Et, à présent qu'elle était partie en emportant avec elle son puissant charisme, son sixième sens hurlait en lui. Il éprouvait l'impression familière que quelque chose de bien vivant et sans doute terriblement carnivore lui remontait le long du dos.

Qui que ce fût, cette vagabonde n'était pas ordinaire. Méthodiquement, suivant une procédure à demi oubliée, il se remémora son apparence vestimentaire : un vieux manteau de tweed qui, un jour, avait dû coûter cher et venait sans doute d'un don charitable ; des chaussures usées et trop grandes qu'elle remplissait de plusieurs paires de chaussettes. Rien d'anormal jusque-là, mis à part le bonnet et les gants qui semblaient un peu chauds pour le Sud californien. Mais cette tenue trouvait une explication aisée en ce mois de janvier frileux, au bord du désert de Mojave.

Ne pas pouvoir déterminer son âge le troublait. Les cheveux mous et gris ne le renseignaient pas. Certaines personnes grisonnaient très tôt et l'état de pauvreté ne faisait qu'accélérer le processus. Les rides de son visage pouvaient n'être que le résultat du soleil et du vent sec du désert, cela n'affectant nullement le bleu pâle de ses yeux ni la blancheur de ses dents.

Tout bien considéré, son apparence, sa démarche traînante, son chariot trop rempli n'avaient rien d'extraordinaire. Aucune différence avec les centaines de sans-abri qu'il avait fréquentés pendant ses années de service à Los Angeles. Son aspect correspondait parfaitement avec ce qu'il connaissait. C'étaient ses manières qui le troublaient. Elle était trop ouverte, trop amicale, trop confiante. Tout, dans son allure, indiquait qu'elle vivait depuis longtemps dans la rue. Et pourtant, où était passé le réflexe de défense, le regard soupçonneux ou hostile auquel il s'attendait ? Sans une bonne dose de paranoïa, personne, homme ou femme, ne pouvait survivre longtemps dans ces conditions.

Au cas où quiconque l'observait, Dustin fourra l'orange dans la poche de son manteau et resta un moment à osciller, cligner des yeux ou se gratter. Puis, une main protectrice posée sur la flasque cachée sous ses vêtements, il partit en hésitant à la suite de la vagabonde.

Dustin ignorait qui elle était ni pourquoi elle lui faisait une telle impression. Il pensait seulement que, d'une certaine manière, elle avait besoin de protection. Il y avait une part d'innocence en elle, une naïveté enfantine qui le charmait et le contrariait en même temps. Ne savait-elle pas que les rues étaient une véritable jungle? Il y avait des loups partout... Et personne n'en était plus conscient que Dustin James.

– Oh... Zut!

Marmonnant entre ses dents, Tina Winter s'arc-bouta sur son chariot pour lui faire descendre le trottoir. Un bus la klaxonna avant d'accélérer sous son nez et lui lancer un nuage de fumée noire au visage. Ignorant le véhicule, la femme cala les roues contre la marche et entreprit de ramasser ce qui était tombé dans le caniveau : un journal roulé et jauni d'avoir attendu devant le porche d'un abonné absent, un sac de papier brun contenant une botte de carottes flétries et des bananes trop mûres, ainsi qu'une paire de tennis d'enfant attachés ensemble par les lacets.

Tous ces objets lui étaient précieux. Le journal lui servirait à s'asseoir sur l'herbe mouillée ou sur un trottoir sale. La nourriture venait de son amie Binnie qui s'inquiétait de savoir si Tina mangeait assez de légumes; elle partageait toujours avec elle ses trésors récupérés dans les poubelles des magasins d'alimentation de Pacific Street. Les

11

chaussures étaient pratiquement neuves et avaient appartenu au neveu de Tina, Joshua, âgé de cinq ans. Lisa, mère du petit garçon et sœur de Tina, avait la mauvaise habitude d'acheter des vêtements strictement de la taille de l'enfant, oubliant à quelle vitesse il grandissait; ce qui convenait parfaitement à la vagabonde. Elle saurait faire bon usage de ces souliers.

Quelque chose de brillant et métallique attira son regard vers le caniveau : une pièce de monnaie. Elle s'en empara vivement et la glissa dans le sac à main qu'elle tenait caché sous son volumineux manteau. Mais son plaisir fut vite tempéré par une inquiétude : quelqu'un avait visiblement perdu cet argent en montant dans le bus. Elle espéra que la personne n'en avait pas été trop incommodée et que, surtout, ce n'était pas un enfant.

La pièce ne représentait pas l'unique trésor que Tina avait découvert à l'arrêt du bus. Un peu plus loin, elle dégota un crayon en parfait état et, encore mieux, une boîte d'aluminium écrasée ainsi qu'un paquet de cigarettes à moitié entamé. Ne fumant plus depuis longtemps, elle le jeta à l'égout et le crayon alla rejoindre la pièce, tandis que la boîte métallique vint s'ajouter à sa collection précieusement conservée dans un sac de plastique. Au centre de recyclage, elle pourrait en tirer un peu d'argent. Enchantée de ses modestes trouvailles, elle se releva, tourna son chariot et se prépara à traverser la route.

Une main posée sur sa manche l'arrêta net.

Surprise, elle se retourna et, instinctivement, leva la main vers la fleur accrochée à son bonnet.

— Oh; fit-elle, re-bonjour.

C'était le mendiant du parc. Elle n'avait pas remarqué comme il était grand et mince. Lui barrant le passage, il se tenait devant elle, oscillant comme un arbre soufflé par le vent. Le plaisir qu'elle avait ressenti de le voir s'évanouit presque aussitôt, remplacé par un indéfinissable sentiment de malaise. Tina tenta de se rassurer en s'expliquant qu'il était inoffensif, seulement pauvre et ivre; mais beaucoup plus ivre qu'elle ne l'aurait cru, davantage encore qu'il ne le lui avait paru en lui offrant la fleur.

Le clochard se rapprocha en titubant et se pencha vers elle. Glacée autant qu'effrayée, elle sentit une main se plaquer sur son bras : de longs doigts bronzés prolongeaient un puissant poignet à la peau aussi ferme qu'un cuir de Cordoue. Tina ne put s'empêcher de penser que la veste crasseuse qui pendait sur ces épaules larges et carrées ne pouvait que cacher un corps souple et musclé. Mais elle ignorait ce qui lui faisait croire cela. Quelque chose dans cette silhouette lui faisait penser à un arc tendu.

— Hé, lâcha l'homme d'une voix éraillée, vous avez laissé tomber quelque chose.

Dans ses mains, il tenait le paquet de cigarettes dont elle venait de se débarrasser. Il souriait, mais il sembla à Tina que ses dents luisaient d'une férocité animale, à la façon d'un loup, au milieu de son visage émacié et assombri d'une barbe naissante.

– Ce... ce n'est pas à moi, grinça-t-elle en se souvenant subitement qu'il fallait déguiser sa voix.

Se dégageant brusquement de l'emprise de l'homme, elle voûta les épaules et appuya de toutes ses forces sur son chariot, le faisant vibrer et résonner sur le pavé.

En traversant la rue, elle se sentit poursuivie par une crainte inhabituelle, tellement évidente qu'elle lui sembla presque tangible, tel un chien grognant et claquant des dents sur ses talons. Arrivée saine et sauve de l'autre côté, Tina se retourna. Titubant, le vagabond se tenait là où elle l'avait laissé. Elle eut soudain honte.

Et, de nouveau... Tout au fond d'elle-même, quelque chose de vulnérable, d'essentiellement féminin lui assura que cet homme était à part, différent des autres sans-abri qu'elle connaissait : Binnie, le Comédien, Frankie le Fou et le pauvre et triste Clarence. Et, parce qu'elle était psychologue, elle comprenait que cette différence, qui l'effrayait tant chez lui, ne représentait en réalité que l'attraction qu'il avait immédiatement exercée sur elle. Malgré sa barbe naissante, ses airs d'ivrogne et ce relent d'alcool bon marché, elle ne pouvait plus nier cette évidence : incroyable que cela puisse paraître, ce clochard se montrait séduisant.

Séduisant à la manière d'un prédateur. Tel un loup, un guépard ou un aigle et... un certain type d'homme. Un homme au regard tranquille et grave, aux lèvres cruellement sensuelles et plis-

14

sées, au corps élancé, ayant la grâce sinueuse d'un serpent. Le genre d'homme qui faisait naître dans l'esprit d'une femme une impression de sauvagerie primitive. Elle savait qu'il représentait pour elle le Danger, avec un D majuscule.

Voilà pourquoi son instinct l'avait avertie, dès leur première rencontre, du danger qui la menaçait. Mais il y avait autre chose. Dans le parc, Tina avait eu le sentiment de l'avoir pris par surprise, comme si elle était tombée sur un lion endormi, ses pattes tournées vers le ciel. Et le geste spontané de lui offrir cette fleur lui avait paru si charmant qu'il lui avait coupé le souffle.

Cependant, en posant cette main possessive sur son bras, il lui avait paru plus rude, plus sombre, plus vif, plus concentré... sur elle. Le lion s'éveillait. Et, pour une raison inconnue, il la suivait. L'intérêt intense qu'il lui portait suffisait à la faire frémir d'angoisse. Mais il l'avait peut-être repérée en train de ramasser cette pièce. Et elle savait que des vagabonds s'étaient déjà fait assassiner pour les chaussures qu'ils portaient aux pieds, sans parler de l'argent.

Tous lui répétaient qu'elle était folle, que ce qu'elle faisait était dangereux. Aujourd'hui, pour la première fois, Tina les croyait.

Le cœur battant, une transpiration glacée lui descendant le long des côtes, elle hissa le chariot sur le trottoir. Après un court instant d'hésitation, elle se dirigea vers Cleveland Street, au sud. Si le clochard l'avait suivie, il la suivrait encore et elle ne pouvait le semer sans abandonner le chariot.

Mais elle avait des amis à Cleveland Street. Le boucher de chez Sam lui donnait parfois des restes d'assiette anglaise et, une fois, l'avait même laissée utiliser les toilettes. Et puis il y avait Gunner, le handicapé qui tenait le kiosque à journaux au coin de la rue. S'il existait quelqu'un sur qui elle pouvait compter, c'était bien lui.

Dustin regarda s'éloigner la silhouette épaisse et baissa les yeux sur le paquet de cigarettes qu'il tenait entre les doigts. Encore une incohérence que de rejeter un trésor comme celui-ci. Même si elle ne fumait pas, elle aurait dû estimer cet objet comme une excellente monnaie d'échange. Puisqu'elle n'y avait pas pensé, elle ne devait pas se trouver depuis longtemps dans les rues. Et pourtant, ce chariot et les vêtements qu'elle portait... Bizarre.

Fourrant les cigarettes dans sa poche, Dustin se passa la main sur la bouche, attendit une accalmie dans la circulation, puis traversa la rue. De l'autre côté, il s'arrêta puis partit vers le sud. Sa démarche oscillante était trompeuse : elle semblait traîner sans but, mais l'effet était l'opposé. En un rien de temps, il se retrouva sur les talons de la femme au bonnet violet.

Sans aucun doute, quelque chose ne tournait pas rond chez cette femme. C'était une magnifique journée de janvier avec une température atteignant vingt-deux degrés et elle portait encore manteau, chapeau et gants. A l'allure où elle marchait en poussant son chariot, elle devait transpirer à grosses gouttes. Dustin commençait lui-même à avoir chaud et il n'avait sous sa veste qu'un T-shirt sans manches et son jean le plus usé. Il éprouvait même une sérieuse envie de se gratter, l'ancien propriétaire de ce vêtement ayant dû avoir de la compagnie.

Tout en se grattant consciencieusement et en surveillant sa proie qui attendait à un feu rouge, il jugea alors qu'il devenait trop vieux pour ce métier. Cela faisait longtemps qu'il n'avait pas pratiqué d'enquêtes secrètes. Il ne se souvenait pas d'avoir aussi mal enduré le manque de confort.

Bien sûr, il était plus jeune, à l'époque. Beaucoup plus jeune et suffisamment idéaliste pour faire la différence. Dans le temps, il se sentait aussi à l'aise dans les zones mal famées que d'autres dans leur propre maison. Il connaissait tout le monde, les prostituées, les maquereaux, les ivrognes ou les excentriques, les vagabondes, les fuyards, les drogués ou les dealers, mieux peut-être que certains parents ne connaissaient leurs enfants. Cependant, était venu le jour où il avait senti qu'il devait se sortir de là, pour ne pas finir lui-même dévoré par l'égout.

Le kiosque était fermé. Il était dix heures passées et Tina avait oublié que Gunner s'échappait souvent au milieu de la matinée, après l'heure de pointe, pour boire un café chaud. Comment ne s'en était-elle pas souvenue? Parfois, si elle arrivait au bon moment, elle obtenait de lui la faveur d'une tasse.

Alors qu'elle s'appuyait contre la fine paroi pour reprendre son souffle, elle jeta un rapide coup d'œil derrière elle. Oui, l'ivrogne la suivait toujours et allait bientôt la rejoindre. Il ne passait pas inaperçu avec sa casquette bleue dépassant facilement toutes les autres têtes.

La bouche sèche et le cœur battant, Tina estima ses chances. Une centaine de mètres plus loin, elle repéra une voiture de police roulant lentement vers elle. L'espace d'une seconde, elle pensa lui fair signe mais se ravisa, gardant cette solution comme dernier recours. Cela entraînerait trop de questions et, avant même qu'elle ait terminé, elle serait grillée. Les bruits couraient vite dans la rue. Il devait exister un meilleur moyen d'attirer l'attention des policiers sans que leurs projecteurs se braquent forcément sur elle.

— Hé!

Tina sursauta comme si elle venait de se faire piquer tandis qu'elle découvrait, à cinquante centimètres derrière son épaule, le visage mélancolique de son poursuivant.

— Hé! répéta-t-il, où courez-vous comme ça, hein?

Tina enfonça la tête dans le col de son manteau et s'écarta de la paroi du kiosque.

— Nulle part, murmura-t-elle en surveillant du coin de l'œil la voiture qui approchait. J'attends un ami.

— Je peux être votre ami, proposa l'ivrogne, dont l'haleine empestait le whisky.

« Ami? » s'étonna-t-elle, le cœur battant, en

considérant le mendiant. Il n'en avait pas l'air.
L'expression sombre qu'elle lisait dans son regard
lui apparaissait comme un danger.

Un léger mouvement lui fit baisser les yeux. Au
fond de sa poche, l'homme tournait et retournait
dans sa main l'orange qu'elle lui avait offerte,
presque comme s'il la caressait. Mon dieu!
Comme elle regrettait son geste impulsif!
Qu'avait-elle fait? Comment allait-elle se débarrasser de ce pauvre homme? Elle ne pouvait pas
le blesser, mais elle ne pouvait s'offrir non plus le
luxe de se laisser suivre ainsi. Quelque chose en
lui la déconcertait.

Du coin de l'œil, elle aperçut la voiture de
police arrivant à leur hauteur. C'était maintenant
au jamais.

– Je dois partir, s'étrangla-t-elle.

Dirigeant le chariot dans les jambes du vagabond, elle l'envoya de toutes ses forces contre lui.
Il le reçut en plein ventre et s'accroupit en titubant, non sans renverser une poubelle dans sa
chute. Il y eut un bruit de verre cassé. Le seau à
ordures alla rouler dans le caniveau, immédiatement suivi par l'ivrogne qui atterrit sur le dos au
milieu d'un amas de détritus.

Horrifiée, Tina porta les mains à sa bouche. Ce
n'était pas exactement ce qu'elle avait recherché.
Mais il était trop tard pour des regrets. Sa
manœuvre lui donnait l'occasion d'échapper à
son poursuivant. Tout en poussant son chariot du
plus vite qu'elle put, elle entendit un crissement
qui ne pouvait être que le véhicule des policiers

freinant brusquement pour s'arrêter au bord du trottoir.

Dustin l'entendit également. Suivirent deux claquements simultanés de portières, puis le son d'une voix dégoûtée.

– Dis-donc! Dix heures du matin, c'est pas un peu tôt pour se soûler?

– Je te parie qu'il ne sait même pas quelle heure il est.

Deux paires de jambes en pantalon kaki se plantèrent de chaque côté de Dustin.

– Alors, l'ami, on a du mal à rester sur ses pieds?

Dustin secoua la tête. Il attendait de retrouver son souffle et sa voix mais n'était prêt à se lancer dans des explications. Cela ne lui serait d'aucune utilité; ces gars-là ne le croiraient pas.

« Moi-même, je ne me croirais pas », songea-t-il, morose.

Un des policiers s'accroupit près de lui et ramassa un fragment de la bouteille de whisky cassée qu'il renifla.

– Beurk! lâcha-t-il en agitant la main devant son nez. Rien qu'à l'odeur, je peux t'assurer que ce n'est pas une grosse perte.

Dustin grogna en fermant les yeux.

– Hé, les gars, c'est pas ce que vous croyez.

– Ah bon? Qu'est-ce que c'est, alors? reprit l'un des policiers.

Sachant que cela ne le mènerait à rien, il répondit:

– Je sais que vous me croyez ivre, mais je ne le suis pas.

– Bien sûr. Tu es juste un peu parti, c'est ça?

– Plus qu'un peu, marmonna-t-il, furieux. Écoutez, je sais que vous n'allez pas me croire, mais je n'ai pas bu une goutte de ce que contenait cette bouteille.

– D'accord, répondit l'un des hommes dans un sourire entendu. Tu as tes papiers?

Dustin soupira et fit un signe négatif de la tête.

– Allez, l'ami, déclara l'autre en le prenant sous les aisselles, je crois que tu vas devoir nous suivre.

– Et pour quelle raison? interrogea-t-il une fois sur ses pieds. Non, laissez-moi deviner. Attentat à la pudeur? Ivresse sur la voix publique? Mauvaise conduite?

– Tu connais la chanson, dis-moi? rétorqua celui qui était resté debout. Tu y es déjà allé plusieurs fois, je parie. Alors, tu sais comment ça se passe? Tu viens gentiment avec nous et tu passeras une ou deux nuits au frais à te dessoûler. Sans compter que tu mangeras correctement aux frais de la princesse. Qu'est-ce que tu en dis?

– Magnifique, répliqua Dustin en se levant lentement et en espérant que les dommages commis contre son anatomie ne provoqueraient pas une infirmité à vie.

Résigné à supporter les inévitables humiliations dont il souffrait avant que tout rentre dans l'ordre, il se laissa pousser à l'arrière du véhicule. Il pensait à cette femme, se demandant qui elle était et ce qu'elle faisait dans la rue. Il en restait certain, ce n'était pas une vagabonde ordinaire. Il s'était brûlé à ce regard de feu et de glace... Le croiser lui avait fait l'effet d'un éclair blanc lui tombant dessus. Il était sûr d'une chose : il la reconnaîtrait maintenant entre mille. Il reconnaîtrait ces yeux lumineux.

Alors que la voiture quittait le trottoir, il se retourna. Aucune trace de la vagabonde. Mais peu importait. Il savait qu'il la reverrait et beaucoup plus tôt qu'elle le pensait. Il allait la chercher partout. Quel que fût le jeu qu'elle jouait, il la retrouverait.

Dans un rire douloureux, il songea qu'il devait lui rendre le coup du chariot.

Il n'en voulait nullement aux deux policiers, même s'ils lui avaient mis des bâtons dans les roues. Il n'espérait qu'une chose : que Logan ne leur tombe pas trop violemment dessus. Il savait qu'il y aurait du grabuge, lorsque la police de Los Padres découvrirait que l'ivrogne qu'ils venaient d'arrêter n'était autre que leur nouveau conseiller municipal.

2

La route était longue entre le centre de Los Padres et la bordure nord de la ville, connue sous le nom des Résidences. D'autant plus longue qu'il s'agissait de pousser un chariot surchargé... Mais Tina avait en tête une autre distance, beaucoup plus grande et qui ne se mesurait pas en kilomètres.

Les Résidences formaient une série de propriétés privées, bordant le terrain de golf où se jouait chaque année le très officiel « Los Padres Open ». Les villas étaient spacieuses, construites dans le style espagnol, avec toits de tuiles et patios et donnaient une valeur précieuse aux collines boisées dominant le golf. Les rues de ce quartier de luxe étaient larges, propres et inondées de soleil. L'air sentait bon les fleurs et le gazon fraîchement tondu, et, de nuit comme de jour, l'on entendait le doux murmure des arrosages.

En débouchant sur le Fountain Court, Tina sortit de sous son manteau un petit objet rectangulaire et vint se placer devant une allée en pente. Elle actionna le bouton et, devant elle, s'ouvrit

23

automatiquement une lourde porte de garage. De toutes ses forces, elle poussa le chariot dans la montée et entra. La sueur la démangeait et elle n'avait qu'une hâte : se glisser sous une douche tiède.

Tandis que le portail se fermait doucement derrière elle, Tina manœuvra son chariot entre une BMW et un scooter Honda. Dans la semi-pénombre étouffante, elle poussa un soupir de soulagement en ôtant ses gants, son bonnet et sa perruque poivre et sel. Ses doigts touchèrent la fleur piquée dans le chapeau et elle resta un instant songeuse, troublée par un sentiment bizarre. Enfin, elle jeta le tout dans le panier métallique et massa vigoureusement sa chevelure blond foncé.

La porte menant à l'intérieur de la maison était ouverte et une jeune femme aux cheveux courts apparut sur le seuil.

— Tina ? Mon Dieu, c'est toi ! Que fais-tu ici ? Je croyais que tu resterais en ville toute la semaine.

— J'en avais l'intention, répondit-elle en se débarrassant du manteau, qu'elle plaça au-dessus du chariot.

Méthodiquement, elle continua d'enlever les vêtements informes qui se superposaient sur elle.

— Changé d'avis... ajouta-t-elle avant de se rendre compte qu'elle parlait encore le langage qu'elle utilisait dans la rue. Je n'en pouvais plus, Lisa. Tu ne peux t'imaginer comme j'ai envie d'une douche.

— Oh, si, affirma sa sœur en la regardant ôter de l'intérieur de ses joues les petits tampons servant à lui donner un air bouffi.

Sous l'œil mi-dégoûté, mi-amusé de la jeune femme, Tina poursuivit sa transformation. Elle décolla des morceaux de latex de ses sourcils, son nez et son menton. Puis, ne portant plus que soutien-gorge et slip, elle se débarrassa de ses chaussures trop grandes et fit glisser de ses pieds trois paires de chaussettes dépareillées. Jetant le tout sur le tas grandissant du chariot, elle ferma les yeux, leva les bras en s'étirant et rejeta la tête en arrière afin de laisser ses cheveux pendre librement sur ses épaules.

– Oh, mon Dieu, je viens de perdre au moins cent kilos! Quel bonheur!

– N'est-ce pas comme de poser un bandeau sur les yeux pour comprendre ce que ressentent les aveugles? lui demanda Lisa. Ou de t'asseoir dans une chaise roulante pour te mettre à la place d'un paralysé?

– Ce n'est pas pareil, répliqua Tina. Je ne fais pas cela pour voir ce que c'est. Je fais cela pour découvrir à quoi ils ressemblent... Mais qui est là? Puis-je entrer comme ça?

– Oui, c'est Josh, répondit-elle. Tu peux passer... Le vol de Charles a été retardé à Boston. Il ne sera pas de retour avant le week-end.

Tina passa une tête méfiante dans la cuisine. Son neveu était assis à table, les pieds se balançant dans le vide et l'air plaintif.

– Bonjour, Josh. Qu'est-ce que tu as?

– Je suis tombé de bicyclette et je me suis éraflé le genou. Tu vois?

– Oh, oui. Peut-être qu'un peu de mercurochrome te fera du bien.

Elle lui planta un baiser sonore sur le coin de la joue, lui caressa les cheveux et continua vers sa chambre. En ôtant ses sous-vêtements, elle repensa à la réflexion de sa sœur. Non ce n'était pas la même chose, et pourtant, chaque fois que sa mission devenait trop pénible, elle avait la possibilité d'enlever ce bandeau de ses yeux. S'il y avait le moindre risque, elle pouvait sauter de la chaise roulante. Tina vivait depuis des semaines dans les rues et se sentait presque des leurs à présent ; ces hommes et ces femmes perdus, sans identité, sans logis, tombés au travers des fissures d'un système qui se glorifiait de ses générosités.

Cependant, Tina n'était pas réellement comme eux. Quand elle avait froid ou faim, elle pouvait rentrer chez elle.

Ou quand elle avait peur... Malgré l'eau chaude ruisselant le long de son corps, elle frémissait et avait la chair de poule. Cet ivrogne qu'elle avait rencontré... Elle y avait repensé tout au long du chemin sans réellement se rendre compte qu'il était différent des autres. Le regard qu'il lui avait jeté près du kiosque de Gunner l'avait profondément troublée. Elle y avait lu de l'intelligence et de la lucidité. L'homme semblait ivre, mais ses yeux ne l'étaient pas. Pourquoi prétendait-il être dans cet état ? Cela restait pour elle une énigme.

En sortant de sa douche, Tina trouva sa sœur assise sur le lit, en train de se limer les ongles.

– Josh regarde *Rue Sésame* à la télévision, expliqua-t-elle en rangeant la lime dans le tiroir. Puisque nous sommes seules, je voudrais bien que tu me racontes ce qui ne va pas.

26

– Qu'est-ce qui te fait croire cela? interrogea Tina tout en sachant que nier ne lui servirait à rien.

Lisa était tenace. Elle insista:

– Pourquoi es-tu rentrée?

– Pour rien, répondit-elle en s'essuyant les cheveux. Je te l'ai dit: j'en ai simplement assez de me sentir moite et crasseuse. Écoute, Lisa, je sais que tu as toujours pensé...

– Et j'ai raison, n'est-ce pas? Je devine toujours quand tu veux cacher quelque chose qui t'ennuie. Tu te souviens avoir rempli un pistolet à eau avec du chocolat chaud et l'avoir envoyé à la figure de ta maîtresse?

– Oui, répondit-elle gravement, il y aurait beaucoup à raconter encore.

– Comme, par exemple, lorsque tu hésitais entre deux garçons qui te plaisaient sans savoir lequel tu préférais. Cela te dévorait vivante, tu te souviens?

– Oui, avoua-t-elle. D'accord, je reconnais que j'ai peur. Il est arrivé quelque chose aujourd'hui. Quelque chose qui m'a... un peu affolée.

– Plus qu'un peu, je dirais. Alors, qu'est-ce que c'était?

– Oh, rien de bien important, répondit-elle en se brossant les cheveux. Juste cet ivrogne qui m'a suivie et a tenté de m'attaquer. Ce n'est pas grave, je m'en suis bien tirée. La dernière image que j'ai de lui est de le voir poussé dans une voiture de police.

– Ça ne ressemble pas au genre de problèmes auxquels tu es confrontée. Et si le gars est arrêté...

– Je sais, reprit Tina. Je sais... Mais il y avait quelque chose chez cet homme qui... m'a remuée.

Appliquant un poing serré contre sa poitrine, elle ajouta :

– Je le sens là. Et c'est bizarre parce que, quand je l'ai aperçu, dès le début, j'ai ressenti une sorte d'attirance vers lui. Je lui ai même donné une orange et il m'a offert une fleur. Et puis, je ne sais pas ce qui m'a pris. Tout d'un coup, j'ai voulu lui échapper.

– C'est tout à fait compréhensible, répliqua Tina. J'aurais perpétuellement envie de fuir, si je faisais ce que tu fais. Vivre dans la rue avec ces...

– Mais il n'y a que ça qui me fait peur, Lisa. Jamais ça ne m'était arrivé auparavant. En décidant de faire ceci pour préparer mon doctorat, je n'ai pas imaginé une seconde que j'aurais une telle relation avec ces gens-là. Et puis, ce ne sont pas « ces gens ». Plus maintenant. Il y a une chose que j'ai découverte en vivant avec eux, c'est qu'ils ne sont pas si différents de nous.

– Nous sommes quand même des privilégiés...

– Exactement. Ils sont comme nous, mais ont eu moins de chance. Pour certains, manquer d'argent, de travail ou de maison reste le problème essentiel. Pour d'autres, ce n'est qu'un symptôme du problème. Et pour quelques-uns, c'est une façon de vivre. Ce sont ceux-là qui me fascinent et sur lesquels je veux écrire ma thèse : ceux qui vivent dans la rue parce qu'ils l'ont choisi, pour quelles raisons que ce soit.

Sa voix vibrait d'émotion, comme chaque fois

qu'elle parlait de ce qui l'intéressait. Et cet enthousiasme la prenait souvent, simplement parce que beaucoup de choses la passionnaient.

— Pour moi, ils restent un mystère et il me faut encore du temps pour les étudier, poursuivit-elle. Je n'ai pas le droit de courir chez moi juste parce que... parce qu'un clodo me flanque la trouille!

— Alors, tu y retournes?

— Oui, dit-elle fermement. Demain.

— Bon, lâcha Lisa. Je suppose que tu le dois. Je sais que rien ni personne ne t'arrêtera. Mais, au moins, tu sais que ce gars est en prison.

— Dustin, pour l'amour du ciel, pourquoi est-ce que tu me fais ça?

Dustin ouvrit un œil et considéra le chef de la police de Los Padres avant de maugréer :

— Tu en as mis du temps... Qu'est-ce que tu as fait?

Une dangereuse lueur traversa les yeux de Logan Russel.

— J'étais à Santa Monica, précisa-t-il en montrant les dents. A une réunion avec le président de la commission contre le crime organisé. Naturellement, quand ils m'ont arraché d'une salle pleine des pontes les plus éminents du pays, pour m'annoncer que deux de mes officiers avaient arrêté un clodo prétendant être mon ami et le nouveau conseiller municipal du nom de Dustin James, imagine-toi que j'ai tout laissé tomber pour arriver ici d'urgence!

Sa voix, calme au début, avait petit à petit escaladé les tons de la colère, pour devenir un rugissement mêlé d'un fort accent de la Nouvelle-Orléans. Lorsque Logan s'arrêta enfin pour se passer la main dans les quelques cheveux blonds qui lui restaient, Dustin hasarda :

— Et tu crois à cette histoire?

— C'est bien ton style, laissa-t-il tomber en se levant pour faire signe au garde en uniforme de lui ouvrir la porte de la cellule.

— Tu sais, Logan, tout ceci est ta faute.

L'officier jeta la tête en arrière comme frappé par un coup violent au visage.

— Nom d'un chien! Dans quoi es-tu allé te vautrer?

— Dans un mauvais whisky. Écoute, si tu ne m'avais pas demandé de poser ma candidature ici...

— Alors, qu'est-ce que ça veut dire? Une vilaine revanche? lui jeta-t-il en l'accompagnant dans les couloirs sous l'œil curieux du personnel de police.

S'arrêtant devant son bureau, Logan regarda nerveusement autour de lui puis s'efforça de baisser le ton :

— Dustin, s'il y a une fuite ou si jamais la presse a vent de cette affaire, Flintridge me découpera en morceaux!

— Ne t'inquiète pas pour le maire, rétorqua calmement Dustin. J'en fais mon affaire.

— Ah oui? Tu t'occupes de ça aussi? railla le chef de la police.

Sur sa table il saisit un journal qu'il lança à la

figure de Dustin, en le ratant de peu. Le conseiller le saisit au vol et s'assit pour le lire, ignorant l'expression de pitié qu'affichait Logan à la vue de ses hardes. Au bout d'un moment, il étouffa un juron et rendit l'article à son chef.

— Logan, tu sais que ce n'est pas la solution.

Ils demeurèrent un instant silencieux, jusqu'à ce que l'homme inspire fortement et articule :

— Tu le sais aussi bien que moi et mes hommes. Mais, bon sang, Dustin, je n'ai pas le choix! Les faits sont là. Flintridge a le droit d'user de son autorité de maire pour mettre en vigueur ses décisions.

— Je l'aurais parié.

— Tu ne peux pas l'en blâmer. Il n'a pas le choix. Tu as lu les titres? UN CONSEILLER MUNICIPAL EN CROISADE ARRÊTÉ À LA COUR DES MIRACLES! C'est le genre de révélations qu'ils adorent, vois-tu. Cette ville se démène pour attirer les touristes et un incident de ce style est un peu dur pour notre image. Flintridge préférerait lire une manchette du genre : UN MAIRE EN CROISADE ORDONNE DE BALAYER LES RUES DU CENTRE... DE NETTOYER LA COUR DES MIRACLES.

Dustin se frappa le front.

— Qu'est-ce que tu vas faire d'eux, Logan? Nous sommes en janvier. Ils arrivent de partout à cette époque de l'année, cherchant un endroit où dormir sans geler sur place avant de se réveiller. Ils sont des centaines dehors. Les abris débordent et le budget municipal ne suffit pas à les recueillir, même pour quelques jours. Qu'est-ce que tu vas faire?

— Tu veux dire: qu'est-ce que tu vas faire d'eux, monsieur le conseiller James. C'est ton problème, pas le mien. Moi, j'obéis aux ordres et je nettoie les rues.

— Dans quelques jours ou semaines ils seront revenus. Tu le sais très bien.

— Oui, je le sais. A moins que tu ne viennes à la rescousse avec une solution au problème...

Dustin ne put se retenir de jurer entre ses dents. Logan se leva et s'approcha de lui.

— Dustin, articula-t-il de sa voix la plus douce, fais-moi plaisir, veux-tu? N'y pense plus, tu ne peux rien y faire. Rentre chez toi. Prends un bain. Tu pues les latrines.

— Merci du conseil. J'y penserai.

En quittant l'hôtel de ville, Dustin se souvint qu'il voulait demander à Logan des renseignements sur sa vagabonde. Il s'apprêtait à faire demi-tour quand il se rappela qu'il empestait. Cela attendrait bien demain...

LE MAIRE ORDONNE DE NETTOYER LES RUES... LA POLICE RASE LES QUARTIERS DE BIDONVILLES... DES CENTAINES DE SANS-ABRI SONT PLACÉS DANS DES REFUGES TEMPORAIRES.

Tina lut ces titres sur la première page du Bulletin de Los Padres avant même de s'asseoir pour prendre son petit déjeuner. Son verre de jus d'orange atterrit sur la table et elle se laissa tomber sur sa chaise.

– Oh, non... murmura-t-elle. Ils ne peuvent pas faire ça !

Rapidement, elle feuilleta le journal mais, au lieu de pouvoir en lire davantage, elle vit les photos de leurs visages apeurés, aux regards accusateurs.

Où iraient-ils ? Que pourraient-ils faire ? Ce nettoyage n'offrait aucune solution et personne ne semblait songer à ce qu'il adviendrait d'eux. Que ferait Binnie sans son chariot qui contenait toute sa fortune ? Et ce pauvre Clarence, tellement claustrophobe qu'il ne pouvait même pas s'enhardir à utiliser les toilettes publiques. Il deviendrait fou dans un abri et personne ne le comprendrait.

– Ils ne peuvent pas faire ça, répéta-t-elle en posant les poings sur le journal.

Dans ce geste, elle envoya valser son bol de céréales, plein de lait, qui atterrit malencontreusement sur le sol. Mais Tina était déjà dans le garage, empoignant le casque posé sur le siège de la petite Honda.

– Je ne sais pas quoi faire, expliqua-t-elle un peu plus tard à Gunner. Cette histoire me rend folle.

– Tu veux te battre contre la mairie ? reprit l'infirme de sa voix rauque en fixant son regard sombre dans celui de la jeune femme. Alors bats-toi comme eux, tu me suis ? Ça ne te servira à rien d'aller faire un esclandre là-bas.

Gunner était peut-être la seule personne au monde pouvant sermonner Tina sans qu'elle lui en tînt rigueur. Elle se félicitait d'être venue le voir parce qu'il l'aidait toujours à se figurer posément les problèmes.

— D'accord, je me calme, promit-elle en s'asseyant sur le comptoir.

— Bien, petite. Maintenant, il faut que tu saches que l'hôtel de ville n'est rempli que de bureaucrates et de politiciens et que ces gens-là ne font pas de sentiment. Il faudra que tu parles leur langage. Les bureaucrates ne connaissent que les règles et les formulaires et la seule manière de se faire comprendre d'eux sera d'en remplir un. Les policitiens, eux, sont une race différente. Tu leur parles « image » et ils t'écoutent. Ne perds pas ton temps à leur dire ce qui est bien ou mal ou ce qui peut blesser les pauvres gens. Dis-lui ce qui va faire du mal à leur image. Tu piges?

Tina acquiesça. Si quelqu'un en savait long sur ce sujet, c'était bien Gunner. Il avait beau avoir perdu sa jambe en servant sa patrie, il avait passé plus de temps à se battre avec l'administration et les politiciens que contre les Viêt-cong.

— Oui, je comprends. Merci, Gunner, répliqua-t-elle en sautant du comptoir pour l'embrasser.

— Salut, petite, souffla-t-il. Tu les auras...

L'hôtel de ville n'était pas un endroit gai, ce matin, songea Dustin. Le maire répondait absent à toutes les communications.

George Flintridge était connu pour sa manière un peu folklorique de voir les choses. Il adorait annoncer à qui voulait l'entendre que Los Padres

34

était passé de petit patelin désertique à une ville respectable, et dont les portes restaient accessibles à tous les citoyens. Aujourd'hui cependant, après avoir jeté de l'huile sur le feu, il cherchait plutôt à se cacher. Attitude sans doute astucieuse, mais maladroite vis-à-vis des conseillers municipaux en fureur qui emplissaient ce matin la mairie. Petit groupe incluant Dustin et Maude Harrington, la seule femme de ce conseil qui devait se réunir pour deux heures.

— Monsieur le conseiller James? demanda Sally la réceptionniste.

— Dustin, précisa-t-il. Seulement Dustin.

— D'accord... Dustin. Voulez-vous lui parler?

— A qui? Au téléphone?

— Non ici. Quelqu'un désirant s'entretenir avec le maire. Pas de rendez-vous mais elle est prête à parler à un conseiller et je pensais... si vous avez quelques minutes.

— Une journaliste? demanda-t-il intrigué.

— Je ne crois pas. Je ne vous ennuierais pas avec cela, mais j'ai pensé que peut-être vous pourriez la recevoir.

Dustin regarda sa montre. Pas encore dix heures. Cela allait être une longue journée.

— D'accord, soupira-t-il. Faites-la venir ici.

Au troisième étage, Tina faisait les cent pas. Elle avait le plus grand mal à garder le calme et la confiance que Gunner avait fait renaître en elle.

— Mademoiselle Winter, suivez-moi s'il vous plaît, déclara aimablement Sally. Le conseiller

James se fera un plaisir de répondre à vos questions.

« J'espère bien », songea-t-elle en calant son casque sous son bras et marchant sur les talons de la réceptionniste qui lui indiqua où frapper.

La porte était entrouverte. Tina s'arrêta un instant sur le seuil. Pas un bruit. Elle allait taper deux coups lorsqu'une voix nette mais non désagréable lui lança :

– C'est bien là, vous ne vous trompez pas. On n'a pas encore inscrit mon nom sur la porte. Entrez, je vous prie.

La jeune femme prit une longue respiration, serra les mâchoires et pénétra dans la pièce d'un pas décidé pour s'arrêter presque aussitôt. Pour la première fois de sa vie, elle se trouva sans voix.

Le conseiller Dustin James n'était certainement pas celui auquel elle s'attendait.

3

Il l'attendait, se tenant poliment debout derrière son bureau, en classique costume gris et cravate noire. Ses cheveux étaient bruns foncés, ondulés et juste un peu trop longs. Cependant, malgré la tenue qu'il portait, Tina pensa que cette coiffure lui allait bien. Elle le trouva très grand et presque trop mince. Il paraissait décontracté mais son regard restait vif. Le mouvement qu'il fit en lui tendant la main eut à ses yeux une certaine grâce, suggérant qu'il était tout à fait à l'aise.

A l'image de son corps, son visage était long, anguleux et indéniablement séduisant. De chaque côté de la bouche, deux rainures accentuaient un sourire charmant qu'encadraient de puissantes mâchoires. Le personnage lui sembla familier. Qui lui rappelait-il ? Un acteur de cinéma, sans doute... Tina n'était pas très bonne à ce jeu-là.

Mais une chose était sûre : le conseiller James possédait une allure qu'elle n'avait pas rencontrée depuis longtemps chez un homme. Elle décida aussitôt de revoir son jugement sur les politiciens.

– Je vous demande pardon ? laissa-t-elle tomber en se rendant compte qu'il venait de lui adresser la parole.

Une lueur d'amusement transparut à travers ses longs cils noirs.

— Je vous ai demandé de m'appeler Dustin. Que puis-je pour vous, mademoiselle...?

— ... Winter, articula-t-elle embarrassée.

Sa gorge était si sèche qu'elle pouvait à peine articuler son nom.

Pourquoi réagissait-elle, ainsi, comme au jour de ses premiers pas sur les planches? Elle n'avait que neuf ans alors et avait été choisie pour réciter un conte de Noël à la fête de son école. Avec confiance, Tina était montée sur scène, avait considéré les centaines de visages tournés vers elle puis, soudain, le trac l'avait complètement paralysée.

— Mademoiselle Winter?

La jeune femme se baissa brusquement pour déposer son casque sur le sol; mouvement qui, d'après elle, était censé lui ramener le sang au cerveau. « C'est ridicule », pensa-t-elle. Que voulait dire cette peur panique qui la prenait? Cet homme n'était rien d'autre qu'un sinistre politicien. « Gunner, aide-moi... »

Enfin, elle se décida à fixer son interlocuteur et murmura :

— Je regrette. Je crois que je suis un peu en colère.

Le conseiller leva les sourcils et Tina devina de la méfiance dans son regard. « Il me prend pour une idiote... » Prenant une longue respiration, elle ajouta :

— Ne vous inquiétez pas, je ne ferai pas de scandale.

— Ah bon, reprit-il en mimant le soulagement.

— Je pense seulement que, quand il s'agit de sentiment, il vaut mieux ne pas se tromper. Monsieur...

— Dustin, l'interrompit-il doucement. Mademoiselle je suis désolé de vous savoir contrariée. Si vous me racontiez de quoi il retourne, peut-être pourrais-je vous aider.

Il paraissait très patient et Tina pensa avec amusement qu'elle interrogeait elle-même ses malades de la même façon.

— En fait, articula-t-elle, j'espérais m'entretenir avec M. le maire...

Tina se sentait décontractée. Elle était arrivée, gonflée à bloc et prête à trouver en face d'elle le visage carré et rougeaud de George Flintridge, stéréotype parfait du politicien des petites villes. Tout ce qu'elle avait en tête s'adressait au maire. Mise en face de cet homme à la silhouette séduisante et à la voix douce, elle se trouvait complètement désorientée.

— Êtes-vous au courant de ce qui se passe? demanda-t-elle finalement avec la brusquerie qu'elle se connaissait.

Le conseiller demeura un moment sans mot dire puis afficha un immense sourire.

— En général, oui. Mais cela fait à peine deux semaines que je suis assermenté. J'ai encore quelques détails à apprendre. De quoi voulez-vous parler?

— De ça! précisa-t-elle en tendant le bras vers le journal sur lequel il avait posé un coude. Ce... ce nettoyage policier, ces tactiques de Gestapo, cette...

— Allons, mademoiselle Winter, tout de même pas la Gestapo, répliqua-t-il toujours amusé mais en serrant davantage les mâchoires.

Son regard avait cet éclat particulier qui, bien qu'elle ne l'eût jamais rencontré, réveillait ses souvenirs comme une bouffée d'air au milieu d'un jour sans vent. A qui lui faisait-il penser?

— Ils n'en sont pas loin, maugréa-t-elle.

Trop agitée pour rester assise, elle bondit de sa chaise et se dirigea vers la fenêtre, surprise de sentir la chair de poule lui envahir les bras. Derrière elle, Tina crut entendre Dustin se lever.

— Savez-vous, interrogea-t-elle en ignorant le tremblement nerveux que lui créait la présence toute proche du conseiller, qu'il y a dans ces rues des gens privés de leurs droits et de leurs biens à cause des fantaisies de certains politiciens?

Se retournant d'un coup, elle allait plonger son regard bleu dans celui du conseiller mais elle se figea. Les mots, ainsi que sa respiration, restèrent bloqués dans sa gorge. En face d'elle, Dustin avait l'air interloqué.

« Mon Dieu, songea-t-elle avec effroi, qu'ai-je dit? » Peut-être se sentait-il insulté? Et, tout d'un coup, Tina comprit que la dernière chose qu'elle désirait était que cet homme lui en veuille. Cependant, il ne semblait ni outragé, ni blessé. Souriant, il la rejoignit à la fenêtre. Mais elle devina quelque chose de différent dans son attitude. Alors qu'il baissait les yeux sur elle, la jeune femme remarqua qu'il la contemplait, l'étudiait même. Et cette impression de déjà vu lui revint brusquement à l'esprit.

— Mademoiselle, articula-t-il en se frottant pensivement la joue, voudriez-vous me dire exactement en quoi cela vous intéresse?

Cette réflexion était polie et aimable. Et pourtant, il lui sembla que Dustin James était un homme habitué à ce que l'on réponde rapidement à ses questions.

— Je suis psychologue, répliqua-t-elle. Je regrette, je ne vous l'ai pas expliqué plus tôt.

— Ah, psychologue... Devrais-je alors vous appeler docteur Winter?

— Inutile, sourit-elle. Pas encore, mais je m'y applique. Appelez-moi simplement Tina. Je prépare un doctorat en sociologie, axé sur les problèmes des sans-abri; plus spécialement, sur ceux qui se complaisent dans cette situation. Ceux pour qui la vie dans les rues est tellement enracinée en eux qu'ils ne sauraient vivre autrement, quoi que vous fassiez pour leur venir en aide. Ces gens, monsieur...

— Dustin.

— Dustin... Ces gens refusent d'habiter dans des refuges qui représentent des prisons pour eux. Les forcer à y entrer serait les forcer à se faire emprisonner.

— Je vois, lâcha-t-il.

— Alors, vous pouvez les aider? Vous pouvez faire cesser cela?

– Quoi? interrogea-t-il. Je regrette, mais je ne peux pas grand-chose.

– Mais, pourquoi? Le conseil pourrait...

– Le conseil n'est pas responsable. C'est le maire Flintridge qui en a pris lui-même la décision.

– A-t-il le droit d'agir ainsi?

– Certainement, admit Dustin en riant.

– Mais pourquoi? Pourquoi tout d'un coup? D'habitude, personne ne fait attention aux vagabonds, excepté que l'on fait généralement un large détour quand on les croise sur le trottoir.

– On dirait que vous savez ce que c'est, murmura Dustin en lui effleurant le bras.

Le contact de sa main sur sa peau provoqua chez elle un léger frisson.

– Oui, avoua-t-elle.

– Eh bien, reprit-il en s'éloignant d'elle, je crois qu'un récent incident a déclenché tout cela : un malheureux concours de circonstances qui aurait attiré l'attention du maire.

– Un incident?

– Oui, répondit-il en reprenant son ton amusé. Il semble qu'il y ait eu une altercation, hier matin, entre deux habitants des rues. Altercation, dont deux policiers ont été témoins, au cours de laquelle une vagabonde aurait molesté un... monsieur.

– Ah!

– Je vous demande pardon?

– Rien, répondit-elle hâtivement sur un ton innocent. Continuez.

42

— Voilà... Apparemment, ladite vagabonde a frappé ledit monsieur avec son chariot roulant, dans une région du corps communément appelée « sous la ceinture ».

— Eh bien, articula-t-elle embarrassée, je suis sûre qu'il l'avait cherché.

— De toute façon, le monsieur en question s'est retrouvé étalé dans le caniveau, d'où il a attiré l'attention des deux policiers qui l'ont arrêté pour cause d'ébriété... Vous avez dit quelque chose?

— Non, non. Continuez.

— L'affaire est donc venue aux oreilles du maire, qui a jugé qu'une telle querelle entre deux clochards desservait l'image de marque de Los Padres. Ce genre d'incident n'est pas spécialement fait pour inciter les touristes à dépenser leurs dollars en vacances d'hiver ici, vous me comprenez?

— Gunner avait donc raison, répliqua-t-elle lentement. Ce n'est qu'une affaire d'image...

— Gunner...? Qui est Gunner?

— Un ami, soupira-t-elle en se retournant vers la fenêtre. Il tient un kiosque à journaux au coin de Fifth Street et de Cleveland Street. Il a perdu ses deux jambes au Viêt-nam et a vécu un temps dans la rue avant de se trouver ce travail et un studio en rez-de-chaussée. C'est un véritable athlète qui court les marathons ou joue au basket-ball en chaise roulante.

— Cela m'a tout l'air d'être quelqu'un, commenta Dustin de sa voix douce.

Elle le devinait tout près et sentait grandir en

elle l'irrésistible attirance qu'elle éprouvait pour lui.

– Vous rappelez-vous cet hiver terrible que nous avons eu, il y a deux ou trois ans? interrogea-t-elle. Il a fait si froid que quelques sans-abri sont morts d'hypothermie. Aussi la ville a-t-elle décidé d'offrir aux autres un refuge correct. Mais, dans leur zèle pour les faire disparaître des rues, ils ont oublié qu'il s'agissait d'hommes et non d'animaux. Ils les ont parqués à l'intérieur, sans se soucier des besoins de chacun. Gunner s'est retrouvé au deuxième étage d'un hôtel sans issue de secours et dont l'ascenseur était hors d'usage. Vous comprenez ce que ça veut dire pour l'infirme qu'il était? Il ne pouvait même pas se rendre à la soupe populaire...

Les mains de Dustin se posèrent doucement sur les épaules de la jeune femme.

– Hé, je suis désolé, mais ce genre de choses arrive avec tous les gens se trouvant dans une situation misérable.

Tina se tenait très droite, luttant pour garder son contrôle. Ce contact masculin la troublait mais elle ne voulait s'éloigner pour rien au monde.

– Oui, articula-t-elle au bout d'un instant. Et c'est cela l'ennui. Ce sont des gens et non des entités sans visage appelés vagabonds. Il faut que l'on sache qui ils sont et quels sont leurs besoins. Binnie, par exemple dont le mari est mort et l'a laissée sans le sou; son chariot est tout ce qu'elle possède...

44

– Tina...

Les mains avaient glissé sur ses bras et se mirent à lui masser doucement l'intérieur des coudes. En frémissant, elle s'écarta de Dustin et regretta aussitôt son geste.

– Personne ne se soucie de ces gens! s'écriat-elle plus fâchée contre elle-même que contre le conseiller ou même le maire. Ce que vous entreprenez à présent n'offre pas une solution. C'est juste... un acte pour vous donner bonne conscience.

– Écoutez, je vous assure que nous nous soucions de ces gens. Moi, je m'en soucie.

– Balivernes! s'eclama-t-elle en balayant cet argument d'un geste exaspéré. Si vous vous en inquiétiez vraiment, vous seriez avec eux dans la rue pour vous rendre compte de ce qui se passe, au lieu de rester confortablement assis dans votre petit bureau à refaire naïvement le monde! Allezdonc les rejoindre et observer ce qu'il en est!

Suivit un long silence, au cours duquel Tina se souvint brusquement qu'elle parlait à un conseiller municipal. La colère s'estompa de ses yeux pour se transformer en un glacial embarrassement. Elle allait ouvrir la bouche pour s'excuser lorsqu'elle remarqua que son interlocuteur souriait.

– Cela ressemble à un défi, dit-il doucement.

– Exactement, laissa-t-elle tomber en se reprenant.

– Et alors?

– Et alors, quoi? interrogea-t-elle le cœur battant.

– Me lancez-vous un défi? insista-t-il en laissant errer son regard sur ses lèvres.

Incapable de s'en empêcher, Tina les humecta du bout de la langue.

– Oui, murmura-t-elle.

– J'adore que l'on me lance un défi. J'accepte. Scellons-donc notre accord? ajouta-t-il en lui tendant une main.

– Oh, souffla-t-elle en détournant du sien son regard fasciné.

Paume contre paume, ils demeurèrent ainsi, Tina se sentant de plus en plus faible et nerveuse. Elle se demanda un instant s'il répondrait à un autre défi. Un défi muet.

– Alors, observa-t-il, par quoi commençons-nous?

Et soudain, la jeune femme comprit que cette question était à double sens. Aussitôt, sa fièvre se changea en crainte. « Trop tôt », lui criait son instinct. Retirant sa main, elle se mit à parler rapidement, avec des gestes désordonnés.

– Eh bien, vous devez descendre dans la rue. Le plus tôt possible. Je peux aller avec vous, vous présenter... Au moins au début. Je sais où ils se cachent. Mais, je peux vous faire confiance, n'est-ce pas? Vous n'allez pas vous servir de moi dans le but de les approcher? Parce que, si vous...

– Vous pouvez me faire confiance. Ma parole d'honneur. Écoutez, il est presque onze heures. Retrouvez-moi dans le parc, disons à midi, le temps pour moi de régler quelques détails. Nous déjeunerons ensemble et discuterons de tout ça. Qu'en pensez-vous?

Tina hésitait. Si seulement elle pouvait être certaine de sa sincérité. Puis une idée lui vint : elle allait mettre à l'épreuve ce conseiller James. Mais, aurait-elle le temps de rentrer chez elle sur sa Honda et de redescendre à pied... avec son chariot et vêtue de ses hardes ? Oui, elle était décidée !

– D'accord, répliqua-t-elle. Cela me semble parfait. Je vous retrouve devant la statue du Père Serra, dans une heure.

– Je vous attendrai.

– Moi aussi, renchérit-elle en se retournant sur le seuil. A tout à l'heure.

Après son départ, Dustin s'installa pensif devant la fenêtre. Il lui sembla qu'inconsciemment il attendait quelque chose, jusqu'à ce qu'il aperçût en bas la mince silhouette féminine traverser la rue. A cet instant, il comprit le sens de son attente. Sans se rendre compte qu'il souriait, il la regarda monter sur un scooter jaune, enfiler son casque puis sortir lentement de sa place de parking.

« Voilà donc ma vagabonde », songea Dustin dans un rire qui résonna haut et clair. Et pas n'importe quelle vagabonde ! La trentaine, mesurant environ un mètre soixante-quinze et pesant aux alentours de cinquante-cinq kilos, bien faite, les cheveux souples et couleur miel, les yeux bleu glacier mais le regard brûlant. Signe particulier : taches de rousseur, lèvres supérieure légèrement retroussée et... sujette à l'emportement.

Cette femme était certainement sincère et ses

sentiments ne différaient pas vraiment des siens, mais elle avait encore beaucoup à apprendre sur la vie dans la rue. Jusqu'ici, elle avait eu de la chance mais, un jour ou l'autre, les loups sauteraient sur l'agneau qu'elle était. Il lui faudrait développer davantage son instinct de conservation.

Fallait-il l'effrayer juste un peu pour lui faire comprendre le danger qu'elle courait? Dans un certain sens, il lui devait bien cela, après ce qu'elle lui avait fait endurer la veille. Traversant rapidement son bureau, Dustin composa le numéro du chef de la police.

— Logan, fais-moi une faveur, s'il te plaît.

— Après l'incident d'hier, c'est plutôt toi qui m'en dois une.

— Mets-ça sur mon compte. Écoute, je retourne dans la rue, cet après-midi. Étant donné les circonstances, il ne faudrait pas que ma mésaventure d'hier se répète. Tu saisis?

— Dustin, soupira-t-il, tu es complètement fou.

— Je sais. Mais fais passer le mot, d'accord? Je porterai une casquette de base-ball bleue et une veste marron. Tu te souviendras? Et dis à tes hommes de me laisser tranquille, entendu?

— Dustin, je ne sais pas ce qui te prend...

— Fais-moi confiance, coupa-t-il en raccrochant.

Il ne lui restait que le temps de rentrer chez lui pour se changer.

La femme qui avait traversé en scooter la ville

de Los Padres avait attiré plus d'un regard amusé. Vêtue de hardes entassées les unes sur les autres et de chaussures bien trop grandes, Tina n'en avait cure. Les sentiments qui la travaillaient en ce moment n'étaient que joie et énervement.

Cependant, elle continuait de se persuader que cela n'avait rien à voir avec sa rencontre avec le conseiller Dustin James. Elle se sentait simplement heureuse qu'il ait accepté de l'écouter et que quelqu'un se décide enfin à agir pour aider ces malheureux. Aucun rapport avec le regard énigmatique ou le sourire qui illuminait son visage austère; ni avec ce frémissement qui la prenait chaque fois qu'il l'effleurait. Non, Tina était heureuse parce qu'elle pressentait que ce rendez-vous avec Dustin promettait des arrangements merveilleux. Et puis, c'était une si belle journée!

« Je dois être une enfant de l'hiver », songea-t-elle en s'installant au pied de la statue du Père Serra, fondateur des missions espagnoles en Californie. Elle avait toujours aimé l'hiver, mais l'hiver californien, bien sûr. Elle ne connaissait que celui-là. Elle en aimait les contradictions et la variété. Elle aimait pouvoir aller skier malgré une chaleur comme celle d'aujourd'hui. Elle adorait la fraîcheur des nuits et les journées radieuses faites pour se promener sous les arbres des parcs où fleurissait déjà le printemps.

Une main toucha son bras puis l'enserra d'une ferme poigne. A cet instant précis son cerveau lui cria : « Dustin! »

— Dustin, murmura-t-elle en se tournant vers lui.

Tina blêmit et son cœur se glaça d'effroi. Ce n'était pas le visage du conseiller, mais celui, sombre et dangereux, du vagabond.

4

L'IVROGNE à la casquette la dominait de toute sa hauteur et il émanait de lui une forte odeur de transpiration et d'alcool. Il titubait, toussait et tenait contre sa bouche un mouchoir, comme s'il était sur le point de se trouver mal.

Paniquée, Tina, réagit en criant :

— S'il vous plaît, laissez-moi tranquille !

Non décidé à lâcher prise, le vagabond lui saisit l'épaule.

— Que voulez-vous ? s'étrangla-t-elle en enfonçant la tête dans le large col de son manteau.

— Hé, je veux juste savoir pourquoi vous m'avez fait du mal hier. Fallait pas faire ça. Vous m'avez frappé en plein dans...

— Laissez-moi, coupa-t-elle en se raidissant, ou je me mets à hurler.

— Et ça fait mal, continua le clochard indigné en ignorant la menace.

— Ah bon, vous avez senti quelque chose ?

Mais l'homme n'était pas assez ivre pour oublier de se vexer. Il avait le regard menaçant et ses doigts se crispèrent sur le col de la jeune femme à présent terrorisée. Mais où donc était Dustin? Où étaient-ils tous, à cette heure et au beau milieu d'un parc municipal?

La réponse était claire : tous ces gens bien pensants, bien nourris, bien vêtus, les évitaient. Ils n'avaient pas l'intention de prendre part à une sordide querelle entre deux vagabonds. Mais la police, où diable se trouvait-elle? N'était-elle pas censée s'occuper de nettoyer la ville, justement? Pourquoi n'y avait-il aucun agent lorsque Tina en avait besoin?

Personne n'allait lui venir en aide.

Elle réussit à retrouver un moment son calme puis, sans même penser à ce qu'elle faisait, lui flanqua un coup de talon dans le tibia. L'homme lâcha un juron de douleur, sans pour cela relâcher son étreinte. Mais pendant qu'il sautait à cloche-pied, Tina n'hésita pas : elle se débarrassa de son lourd manteau pour le laisser pendre lamentablement au bout du bras de l'homme. En vitesse, elle décampa à travers la pelouse et l'entendit jurer de loin.

Puis elle crut deviner un autre son : un martellement de pas se ruant à sa suite. Sans se retourner, elle se défit de ses chaussures et courut de plus belle.

— Tina! Attendez!

Elle l'entendit mais ne réagit pas. Seule la panique lui ordonnait de fuir. L'ivrogne la poursuivait, la rejoignait. Elle percevait sa respiration derrière elle, sentait déjà la chaleur de son corps. Et, lorsque la jeune femme sentit une main l'agripper, elle se débattit de toute la force que lui procurait sa terreur. Mais l'homme se montrait plus fort et moins ivre qu'il ne le paraissait. En l'espace de quelques secondes, il lui maîtrisa les bras et la bloqua contre lui.

Alors, Tina ne sentit plus qu'un corps tiède et musclé, un cœur battant à tout rompre dans son dos et une puissante mâchoire plaquée sur sa tempe. Sachant qu'il était inutile de résister, elle serra les dents et ferma les yeux.

— Voilà... C'est beaucoup mieux, articula la voix essoufflée derrière son oreille.

Il fallut un moment à la jeune femme pour se rendre compte que ce n'était pas la voix rocailleuse de son ivrogne. Elle se raidit encore.

— Tina? répéta-t-il doucement. Je vais vous lâcher maintenant... D'accord?

Un souffle chaud, qui n'avait plus rien à voir avec l'alcool, lui effleura la joue. Les muscles tendus se relâchèrent et les mains, devenues douces, lui prirent les coudes pour la faire se retourner.

— Tina? Ça va, maintenant? articula-t-il d'un ton inquiet.

Levant les yeux vers le visage à demi-caché par la casquette de baseball, elle frémit de colère.

— Espèce de saligaud! hurla-t-elle en agrippant son sac, qu'elle lui envoya en pleine figure.

Sans même prendre la peine de constater les dégâts, elle fit demi-tour et disparut.

Pour la seconde fois en quelques minutes, Dustin laissa échapper un juron de douleur et se prit la tête entre les mains. Jamais il n'avait autant juré de sa carrière... Mais il estimait qu'après tout il avait bien mérité ce qui lui arrivait. C'était bien lui de s'intéresser à une femme ravissante mais assez folle pour se balader en vagabonde.

Du bout des doigts, le conseiller continua de s'explorer le front et découvrit, sur sa tempe, une entaille tiède et gluante. La fermeture de son sac, évidemment..., songea-t-il. Une belle arme, en vérité. Et quelle femme...! Elle semblait aimer les objets contondants et inhabituels : d'abord un chariot, ensuite un sac à main. La dernière fois qu'il avait été blessé remontait au soir où il avait dû séparer une prostituée et son souteneur qui se chamaillaient en pleine rue. Mais, comme il n'était pas masochiste, son instinct lui conseillait de laisser fuir Tina et... de la fuir.

D'un autre côté, Dustin trouvait la situation particulièrement comique : deux adultes essayant de se deviner et de donner une leçon à l'autre. Et puis, la jeune osychologue était amusante ainsi vêtue, d'autant plus qu'il avait cru remarquer ce matin qu'elle avait un très joli corps... parfaitement assorti au sien.

Et pourtant, quel tempérament! Pourquoi allait-il perdre son temps avec un être si volatil? La vie était déjà bien assez risquée comme ça.

Cependant, avant qu'elle disparût complètement de sa vue, le conseiller se reprit. Ces épaules fières, cette tête haut levée, ces longues enjambées décidées lui rappelaient quelqu'un : lui-même lorsqu'il était enfant, tellement orgueilleux que pour rien au monde il n'aurait accepté de pleurer.

« Dustin, songea-t-il en se mettant à courir après Tina, tu es aussi dingue qu'elle. »

— Tina! cria-t-il. Attendez, je vous en prie!

La jeune femme ralentit puis s'arrêta et, en la rejoignant, il éprouva l'envie subite de l'entourer de ses bras, de l'attirer contre lui et de la réconforter. Mais, respectant sa fierté, il se contenta de lui effleurer le bras et d'avouer doucement :

— Hé, je voudrais vous dire... Je regrette ce qui vient de se passer.

Il lui semblait qu'en plus de l'avoir effrayée, il l'avait blessée mais sans savoir pourquoi.

Vous... regrettez? s'étonna-t-elle troublée en levant le visage vers lui. Pourquoi m'avez-vous fait cela?

— Pour vous faire peur.

— Me faire peur? Pour vous venger de ce que je vous ai infligé hier?

— Non, s'empressa-t-il de mentir. Mon Dieu, non! J'ai agi ainsi pour vous faire comprendre que les rues sont dangereuses, Tina. Je n'ai pas l'impression que vous vous en rendiez bien compte.

— Vous saviez qui j'étais, n'est-ce pas? Lorsque je suis entrée dans votre bureau, vous saviez que j'étais la femme qui...

— Non, je ne le savais pas, reprit Dustin. Pas encore.

— Pourquoi n'avoir rien dit? Pourquoi m'avoir laissé croire que vous ne m'aviez pas reconnue?

— Je ne sais pas vraiment. J'ignorais si de votre côté vous m'aviez reconnu également. Vous m'avez dit préparer une thèse sur la condition des sans-abri, aussi ai-je compris pourquoi vous vous habillez comme eux. Après tout, je ne faisais que la même chose et, comme vous, je ne voulais pas que le monde entier le sache. Ce que je ne saisis pas, c'est pourquoi vous avez voulu me jouer ce tour. Je dois avouer que vous m'avez drôlement surpris.

— Cela vous a surpris? lâcha-t-elle dans un grand rire. Je voulais... Vous avez promis beaucoup de choses ce matin mais c'est si facile de parler. Je voulais découvrir quels étaient vos sentiments profonds. Je voulais voir comment vous alliez réagir devant moi, devant une clocharde.

— Vous me testiez, en somme. Je vous ai répondu hier. L'avez-vous déjà oublié? Je vous ai offert une fleur.

— Oui, mais j'ignorais que c'était vous.

Elle parlait d'une voix faible, sans défense. Et Dustin la considérait non pas comme la vagabonde qu'il avait en face de lui mais comme la jeune femme qui lui était apparue ce matin : jeune et mince, les cheveux et le teint dorés comme l'été et le feu de l'hiver crépitant dans ses prunelles...

56

— Et à la place, j'ai découvert... poursuivit-elle d'une voix tremblante.

— Je vous ai fait du mal, coupa Dustin en lui massant l'épaule du bout des doigts. Je ne voulais pas cela. Je regrette.

— Non, corrigea-t-elle en secouant la tête. C'est drôle non? J'essayais de tester votre bonne volonté et je me suis laissé prendre à mon propre piège. Je me croyais tellement tolérante, compréhensive, et concernée par le problème. Et, devant vous, j'ai été complètement aveuglée par mes préjugés. Oh, mon Dieu...

C'était étrange. En tenant de lui montrer la réalité de ce monde misérable, Dustin n'avait pas pensé détruire la passion et l'enthousiasme qui animaient Tina ce matin encore. Il fallait que son courage et sa détermination lui reviennent pour mener à bien cette entreprise. Leur entreprise...

Dustin lui posa les deux mains sur les épaules et les pressa doucement.

— Êtes-vous aussi sévère avec les autres?

Tina leva la tête vers lui, indifférente aux larmes qu'elle avait eu tant de mal à cacher.

— Dustin, ce n'est pas la peine de chercher pourquoi j'ai réagi ainsi. Toute cette peur, cette hostilité qui m'habitaient, j'en accusais les autres... Oh...!

Ses yeux s'arrondirent d'un coup lorsqu'elle aperçut la blessure sur la tempe du conseiller. Instinctivement elle ôta son gant et y porta la main. Ce contact fit à Dustin l'effet d'une caresse soyeuse.

— Je vous ai blessé.

— Oui, vous avez essayé, à ce que je crois me souvenir, sourit-il. Écoutez, cessez de vous torturer avec votre libéralisme. Je crois personnellement que vous avez agi avec bon sens et... ingéniosité.

Du pouce, il lui essuya une larme perlant sur le bout du nez et décolla malencontreusement le morceau de latex avec lequel elle avait cherché à s'enlaidir. Morte de rire, la jeune femme dut s'appuyer sur le torse de Dustin qui, légèrement embarrassé sentit peser sur eux le regard des promeneurs.

— Vous devriez remettre ceci, lui conseilla-t-il en s'efforçant de garder son sérieux. Partons d'ici avant de trop attirer l'attention sur nous. Où pouvons-nous aller?

— Je croyais que nous devions déjeuner.

— J'ai apporté de quoi nous sustenter.

— Vous avez apporté un repas?

— Oui, des sandwiches. Je ne vous imaginais pas entrant dans un restaurant au bras d'un clochard. Bien sûr, je ne savais pas que nous serions deux à être ainsi vêtus...

— Cela me paraît magnifique, déclara Tina radieuse.

— Je crois que j'ai dû laisser tomber le sac de notre pique-nique à l'endroit où j'ai lâché votre manteau.

Dustin partit le chercher en courant et attrapa au passage les chaussures de Tina qui le rejoignit rapidement.

– Dans quel état sont-ils, demanda-t-elle affamée.

– Écrasés mais mangeables. Connaissez-vous un endroit un peu moins public où nous pourrions manger tranquilles?

– Sur un banc un peu plus loin. Là où sont censés manger les clochards.

Tout en marchant à ses côtés, Tina s'étonna : « Comment ne l'ai-je pas reconnu, ce matin? Comment n'ai-je pas deviné qui il était? »

Le conseiller avait un visage si particulier, si fort. Ces yeux, ce nez aquilin, ces mâchoires anguleuses... Il n'avait rien eu à faire pour l'altérer et avait réussi à lui donner le change avec sa seule casquette, une barbe naissante, un mouchoir et de vieux vêtements. Tandis qu'elle, avec son maquillage sophistiqué, n'était pas parvenue à le tromper plus d'une minute.

Mais c'était plus que cela, décida-t-elle. C'était son attitude entière, cette façon de bouger et de parler. C'étaient les différentes expressions de son visage, un certain regard qu'il cultivait si bien que cela changeait son apparence physique. Et il semblait si à l'aise dans ces deux rôles. C'étaient les deux visages de Dustin James.

Et lui, incrédule et ravi, se demandait : « Je perds la tête. Que m'arrive-t-il? Se pourrait-il que je la désire? »

– En voici un, déclara Tina en indiquant un banc de pierre ensoleillé au bord d'un massif de pensées.

Avant de s'asseoir, elle se débarrassa de ses gants et de son manteau.

59

– Pourquoi portez-vous ces gants? demanda Dustin en s'installant près d'elle.

Sans un mot, Tina tendit les mains devant lui : de longues mains manucurées, jeunes et lisses.

– D'accord, je comprends, observa-t-il en lui proposant un sandwich.

– Attendez que je me débarrasse également de ces bouts de latex qui me tiraillent la peau. J'en ai aussi mis dans la bouche pour me bouffir les joues. Comment voulez-vous que je mange avec ça?

– Effectivement, quelle différence...

– Pas assez, à ce que j'ai cru comprendre, ironisa-t-elle.

– Pourquoi? Parce que je vous ai reconnue?

– Oui. Cela a été immédiat, non?

– Pas vraiment. Mais ne vous en faites pas, j'ai été entraîné à cela.

– Ah? Pourquoi?

Le sourire de Dustin s'évanouit instantanément, ses traits se durcirent et, l'espace d'une seconde, Tina crut revoir le visage de l'ivrogne. La face cachée du conseiller...

– J'étais dans la police.

– Mon Dieu! Où? Ici?

– Los Angeles. Brigade des mœurs. J'en ai passé du temps à me cacher, vêtu de ces hardes, pour surveiller les quartiers chauds.

– J'imagine qu'en comparaison Los Padres doit vous sembler...

– Le jardin d'enfants, vous pouvez le dire.

60

Cet aveu confirmait les soupçons de la jeune femme. Dustin connaissait les côtés noirs de la vie. Il les avait vécus et cela l'avait profondément marqué.

Ils demeurèrent ainsi sans parler, puis Dustin termina son sandwich et se détendit en étalant les bras sur le dossier du banc. Sa main vint toucher le pompon violet.

— Ôtez donc ce bonnet. Vous devez avoir chaud.

— Non, il faudrait que j'enlève aussi la perruque.

— Et pourquoi pas?

— Quelqu'un pourrait me voir.

Elle le contempla fixement, n'osant pas avouer qu'ôter cette perruque lui parassait un geste aussi intime que de se déshabiller devant un étranger.

— Des vagabonds, vous voulez dire. Dites-moi, Tina, depuis combien de temps vivez-vous ainsi dans la rue sans appui?

— Hum... depuis novembre, à peu près. Mais je suis allée voir mes parents à Noël.

— Vous êtes rentrée chez vous à Noël? répéta-t-il avec dans la voix un ton d'envie. Personne ne vous a donc dit que ce que vous faites est dangereux.

— Oh, si, assura-t-elle. Tout le monde, et plus d'une fois.

— Tout le monde?

— Oui, tous ceux qui sont au courant. Ma sœur et son mari, Gunner et... vous.

— Mais vous ne les avez pas crus.

— Bien sûr que je les ai crus.

— Non, lâcha-t-il calmement. Je ne le crois pas. Je ne crois pas que vous vous soyez rendu compte du nombre de fous ou de désaxés qui hantent les rues. Même après la peur que je vous ai faite.

— Je suis psychologue, au cas où vous l'auriez oublié. Je ne suis pas aussi innocente que vous avez l'air de le penser. Et puis, ajouta-t-elle en se redressant et fixant la blessure de Dustin, je crois être capable de me défendre.

Le conseiller hocha la tête d'un air dubitatif.

La jeune femme se leva et remit dans le sac la moitié de son sandwich. S'efforçant de garder son calme, elle releva les manches de son sweater et se mit à faire les cents pas en croisant les bras.

— Vous avez sans doute la possibilité d'anéantir mon projet, si vous le voulez. Vous avez certainement assez d'influence pour m'empêcher d'achever mes recherches ou au moins pour me mettre des bâtons dans les roues. Mais sachez que cela compte énormément pour moi et, si vous avez l'intention de me chasser d'ici, je continuerai ailleurs. J'ai choisi cette ville parce que ma sœur y est installée mais il existe d'autres endroits. Je peux même aller à Los Angeles.

— Il n'en est pas question!

Stupéfaite de sa réaction, elle stoppa net.

— Tina, poursuivit-il en se levant, je ne veux

en aucun cas que vous arrêtiez ce que vous faites. Je veux simplement que vous cessiez de le faire seule. J'ai une proposition à vous faire : je voudrais que vous travailliez pour moi. Et avec moi.

Confondue, la jeune femme, dans un réflexe de défense, chercha à s'écarter de lui.

— Travailler pour vous? interrogea-t-elle incrédule. Pour quoi faire?

— Écoutez, Tina. Rendre plus agréable la vie des sans-abri a toujours été un de mes buts. C'était également l'un des points forts de ma campagne avant de me faire élire. Mais cela fait très longtemps que je n'ai pas remis les pieds dans la rue et j'ai besoin de me réhabituer. Si vous travaillez avec moi, vous m'aiderez et nous trouverons ensemble des solutions. Qu'en dites-vous?

Qu'en disait-elle? Tina se sentait tellement enthousiasmée qu'une tonne d'émotions diverses l'envahirent. Tout d'un coup, il lui sembla qu'il n'y avait plus de place dans son esprit que pour le visage de Dustin, la voix de Dustin...

— Je n'interviendrai pas dans vos recherches, lui assura-t-il. Et vous pourrez continuer d'aider vos amis de la même façon. Me promettez-vous d'y réfléchir?

— Oh, oui, souffla-t-elle. Non, en fait je n'ai pas besoin d'y réfléchir. Je vais vous aider. Je... serai ravie de travailler avec vous. Ce serait...

— Magnifique!

Un sourire radieux illuminait son visage au

moment où il la prit contre lui pour la féliciter. Le cœur de Tina bondit de joie. Elle serra les bras autour de la taille de Dustin et inspira profondément.

— Hé, murmura-t-elle alors, vous ne trouvez pas que nous avons l'air bizarre.

— C'est vrai, admit-il en la relâchant avant de s'écarter. Écoutez, j'aimerais parler plus longtemps de tout ceci avec vous, que nous partagions nos idées ou discutions ensemble de nos projets. Mais j'ai une réunion à deux heures et je dois me changer auparavant. Vous savez, j'aimerais que vous y veniez pour rendre notre entente officielle; que vous soyez rémunérée par la ville.

— Rémunérée? s'étonna Tina le souffle court. Vous m'offrez un travail?

— Oui. Qu'en pensez-vous? Prenez votre temps, rentrez chez vous et préparez-vous. Je vais à cette réunion et vous m'y rejoignez, ce qui me donnera le temps de parler au maire et aux autres membres du conseil. Cela vous va?

— Parfait, murmura-t-elle.

— Alors, à tout à l'heure, lança-t-il en réprimant l'envie de la prendre dans ses bras avant de s'éloigner.

— Dustin...? Comment m'avez-vous reconnue?

Sans se presser, il revint vers elle puis articula :

— Par vos yeux.

Son regard la transperça. Tina eut l'impression qu'elle ne pouvait plus bouger ni penser, ni même respirer sans son aide.

– Vos yeux vous ont trahie...

Elle n'entendait plus rien que le son de son cœur qui battait à tout rompre et une petite voix intérieure lui conseillant de prendre garde.

– Mes yeux? s'étrangla-t-elle.

– Oui. Vous savez que les yeux sont le reflet de l'âme. Il y avait trop de passion dans les vôtres, trop de feu. Vous avez oublié de déguiser votre expression...

Dans un soupir, Tina le vit s'éloigner de son pas hésitant de clochard pour se fondre dans la foule entourant la fontaine espagnole.

5

– Un comité? demanda le maire d'un air ennuyé.

Dustin, qui faisait ses premiers pas comme conseiller municipal, ne comptait que sur son instinct pour pallier son manque d'expérience. Dans un silence glacial, il répondit :

– Un jury, plus exactement. Constitué de gens ayant une connaissance spéciale en la matière et conscients du problème des sans-abri.

– Qui, par exemple?

– Des représentants de la ville et de la loi de Los Padres, et des organismes tels que l'Armée du Salut ou la Croix-Rouge. Et je crois que, pour qu'un tel jury soit efficace, il faudrait lui ajouter quelqu'un venant de la rue.

– Oui, marmonna George Flintridge en tapant machinalement des doigts sur son bureau.

Encouragé, Dustin poursuivit en plaquant les mains sur la table :

– Comme vous le savez, j'ai moi-même une petite expérience de la vie dans la rue...

– C'est relativement récent, trancha le maire.

Un murmure général se fit entendre, qui ne démonta pas le conseiller.

— Je serais heureux d'en être le président, George, et, bien sûr, en tant que maire, vous en serez automatiquement membre. De plus, j'aimerais vous proposer ce que nous appellerions un consultant à temps partiel.

— Vous voulez engager quelqu'un? interrogea le maire de plus en plus ennuyé. Je croyais que vous parliez d'un comité de volontaires. Nous n'avons pas le budget nécessaire...

— Nous possédons un certain budget pour les employés. Je n'ai pas encore embauché de secrétaire et je propose, en échange, un assistant à mi-temps qui travaillerait avec moi et qui serait l'intermédiaire entre nous et les habitants de la rue.

— Intermédiaire... maugréa Flintridge. Je ne vois aucune objection au fait d'engager quelqu'un, bien que je me demande où vous pourrez trouver...

— En fait, coupa Dustin, je me suis déjà entretenu avec une psychologue sociale ayant déjà l'expérience de la rue. Je lui ai même demandé de nous rejoindre à cette réunion. Elle devrait être là d'une minute à l'autre.

Un autre murmure de surprise monta de la table de conférence. Logan se pencha vers le conseiller et articula du coin de la bouche :

— Elle? Je crois que je commence à comprendre.

Dustin le foudroya du regard.

— Qu'est-ce que vous entendez par psychologue sociale ? demanda Flintridge.

— Eh bien, je crois qu'elle est diplômée en sociologie et psychologie et prépare actuellement une thèse de doctorat sur les sans-abri. Je suis certain qu'elle nous impressionnera.

— Je ne demande que ça, commenta Logan.

En lui jetant un coup d'œil noir, Dustin se demanda pourquoi son meilleur ami essayait de le prendre à la gorge devant quatre témoins. Maud Harrington, elle aussi, dissimulait mal son sourire. Visiblement, le nouvel et fringant conseiller célibataire de Los Padres, ne passait pas inaperçu dans les couloirs de l'hôtel de ville.

— Mademoiselle Winter est une professionnelle, commença-t-il avant d'être interrompu par des bruits de dispute venant de la réception.

— Mon Dieu, que se passe-t-il là-bas ? observa le maire en se balançant sur sa chaise.

Au son des voix qui s'amplifiaient et de coups étouffés, Flintridge se leva d'un bond tandis que Logan, par réflexe, portait la main sous sa veste pour y saisir son pistolet. La porte s'ouvrit avec fracas.

— Non, madame, vous ne pouvez pas entrer ! s'écria Sally affolée à la suite de Tina de ses hardes et de son bonnet à pompon.

— Que diable se passe-t-il ? demanda le maire exaspéré.

Dustin s'arracha de son siège pour intercepter Logan qui cherchait déjà à maîtriser la jeune femme.

– Laisse-moi faire, je m'en occupe... Que se passe-t-il? Je croyais que vous deviez vous changer!

– Je suis désolée, lâcha-t-elle en le considérant à travers des carreaux tintés aussi épais que le verre d'une bouteille de Coca-Cola. Je n'ai pas eu le temps de rentrer chez moi parce que j'ai acheté ces lunettes. Qu'en pensez-vous? Est-ce qu'elles donnent le change?

Le conseiller lui trouvait plutôt une ressemblance avec un papillon de nuit géant.

– Votre propre mère ne vous reconnaîtrait pas, soupira-t-il.

Il avait attendu sa venue avec une telle impatience et voici qu'elle arrivait enfin, mais de quelle façon! Avait-il rêvé, la veille, en voyant entrer dans son bureau cette ravissante jeune femme à la crinière blondie de soleil?

– Dustin, trancha le maire avec son calme menaçant. Est-ce donc là votre représentante de notre communauté des sans-abri?

– George, répliqua-t-il, chers membres du conseil et amis, j'aimerais vous présenter Tina Winter, la psychologue dont... je vous ai parlé. Tina, voici le maire, George Flintridge...

Flintridge la contempla comme il aurait contemplé un cobra et accepta de lui rendre ses salutations, suivi aussitôt des autres membres.

– Mademoiselle, reprit-il sévèrement, voudriez-nous expliquer?

– Naturellement, répondit-elle d'une voix assurée que Dustin ne lui connaissait pas.

Venant s'installer près de la table de conférence, elle semblait calme, parfaitement à l'aise. Dustin ne put s'empêcher de l'admirer, ce qui ne fit qu'ajouter à sa propre contrariété. Elle raconta sa rencontre avec le conseiller, sans omettre d'ajouter qu'ils s'étaient entretenus en des termes très courtois.

— A la différence d'aujourd'hui, précisa-t-elle en jetant à Logan un regard plus que courroucé auquel il rendit un sourire élogieux. Je n'ai pas été mieux reçue qu'un chien...

Un silence froid lui répondit mais, sans se démonter, Tina poursuivit :

— Je ne constate qu'une chose, monsieur le maire, c'est que, avec mon aspect de vagabonde, je me suis vue fermer votre porte. Cela veut tout simplement dire que les habitants de la rue n'ont aucun droit. Ils sont pourtant citoyens de ce pays, au même titre que vous ou moi-même.

Jetant un rapide regard en direction du Dustin, elle rougit légèrement avant de continuer :

— Je regrette le trouble que j'ai pu vous causer, mais il me semble avoir mis le doigt sur un des problèmes majeurs des sans-abri : on oublie trop souvent que ce sont des êtres humains. Et j'estime que, sous prétexte de faire reluire l'image de cette ville, vous allez à l'encontre des droits civiques de ces pauvres gens, uniquement dans le but politique et financier.

Il y eut un hoquet général et Dustin se prit la tête entre les mains. Puis, horrifié et fasciné à la fois, il écarta les dòigts et observa furtivement le maire.

Mais George Flintridge avait déjà eu affaire à des adversaires autrement plus coriaces. Levant calmement les yeux vers Tina, le vieux politicien prit l'air d'un directeur de collège prêt à sermonner une élève dissipée.

– Mademoiselle Winter, je comprends et j'apprécie votre souci de venir en aide à ces braves gens. Mais laissez-moi vous rappeler ceci, jeune femme : j'ai été élu membre du conseil de cette ville alors que vous étiez encore au berceau et, depuis toujours, des gens ont dormi dans les rues. Bien sûr, on les appelle aujourd'hui les vagabonds ou clochards, mais le problème des sans-abri n'est pas nouveau et ne va pas disparaître sous prétexte que vous vous proclamez grand défenseur de leur cause. Je suis parfaitement conscient du fait qu'un lit, une douche ou une soupe ne peut leur suffire. Il leur faut des logements peu onéreux, du travail et le plus souvent, beaucoup de conseils que nous n'avons tout simplement pas les moyens de leur offrir.

En se redressant dans son fauteuil, Flintridge reprit sa respiration et Dustin dut admettre que son petit discours l'avait impressionné. Un lourd silence pesait dans la salle. Il considéra Tina qui demeurait impassible et son admiration pour elle grandit encore.

– Monsieur le maire, reprit-elle, je reconnais vos problèmes aussi bien que les efforts que vous tentez pour les résoudre. Si je peux vous aider avec quelques idées, me ferez-vous l'honneur de m'écouter ?

Flintridge se rappuya contre le dossier et sourit.

— Certainement. Et nous allons même en parler au conseil. Nous désirons faire de notre mieux pour tous les citoyens. Maintenant, si vous le permettez, mademoiselle, je crois que le conseiller James à une proposition à nous soumettre pour laquelle nous devons voter.

Tina baissa la tête et se dirigea doucement vers la porte. Logan se leva précipitamment pour lui ourvrir.

— Je crois que je vais m'abstenir de voter, déclara Dustin en se raclant la gorge. Faites-moi part de ce que vous aurez décidé.

Ce disant, il partit à la suite de la jeune femme. Elle s'était arrêtée juste derrière la porte pour souffler et Dustin buta sur elle manquant de perdre l'équilibre. Se retenant à son bras, il put constater que, malgré la superposition des vêtements qu'elle portait, elle tremblait.

— Je suis désolée, articula-t-elle. Ai-je créé la panique?

— Je ne sais pas. Mais nous en aurons le cœur net dans quelques minutes.

— J'ignore ce qui m'a pris. Je n'aurais pas dû parler de profit politique ou financier.

— Ce n'est rien. Il fallait, au contraire, mettre le doigt là-dessus. J'aurais bien aimé en avoir le courage...

— Alors, vous... n'êtes pas fâché?

— Fâché? s'étonna Dustin tout en massant les bras de Tina à travers la rugueuse étoffe qu'il commençait à détester.

– Vous en aviez pourtant l'air quand je suis sortie.

– Non, je ne l'étais pas, reprit-il en constatant une nouvelle fois l'irrégularité de sa lèvre supérieure.

Il trouva que ce petit défaut rendait sa bouche un rien provocante.

– Je me suis rappelé ce que vous aviez dit à propos de mes yeux, aussi ai-je acheté ces lunettes pour les dissimuler. Vous plaisent-elles?

– Superbes, lâcha-t-il en les lui ôtant. Mais c'est beaucoup mieux ainsi. Vous n'avez pas besoin de me les cacher.

Le bruit de leur respiration emplissait le silence. Les paumes de Dustin se posèrent sur les épaules de Tina et il cut sentir à travers elle les vibrations de son corps. Ses doigts se serrèrent. La porte s'ouvrit derrière eux.

– Approuvé, annonça Logan en refermant derrière lui. A l'unanimité... Hé, tu m'entends? On te donne le feu vert?

– Merveilleux, lâcha-t-il distraitement en laissant la jeune femme se dégager de son étreinte.

– Oh, oui, magnifique! renchérit Tina. Alors, par quoi commençons-nous?

« Et pour aller jusqu'où? » se prit à penser Dustin malgré lui.

– Nous allons dans la rue, proposa-t-il. Je voudrais rencontrer vos amis, d'abord.

– Bien sûr. Maintenant?

– Excusez-moi, interrompit Logan, mais la réunion n'est pas achevée. Je crois que cela attendra un peu. Écoutez, vous passez à mon bureau demain matin et nous voyons par quoi nous commençons.

— Entendu, déclara Tina. Alors, à demain.

— Intéressante, articula Logan à voix basse après son départ. J'ai bien l'impression que tes goûts ont changé...

— Qu'est-ce que ça veut dire?

— Ça veux dire que si je vous avais interrompus une seconde plus tard, j'aurais eu le choc de ma vie, c'est tout.

— Allons... sourit Dustin en reprenant sa place à la table de conférence.

Il resta cependant rêveur. Que pouvait-il bien faire pour qu'elle quitte cet accoutrement qu'elle avait l'air de chérir?

En sortant de l'hôtel de ville, ignorant l'œil goguenard de deux gamins, Tina tremblait. Elle ressentait encore le poids des mains de Dustin sur ses épaules. Des mains crispées mais dont il avait gardé le parfait contrôle.

Ce n'était plus un ivrogne, à présent, mais un conseiller municipal au charme indéniable. Pourquoi son souvenir lui faisait-il trembler les jambes?

Il avait voulu l'embrasser, elle en était certaine. Elle l'avait deviné à son regard, à son attitude. Comment pouvait-il avoir envie de l'embrasser quand elle ressemblait à... une vieille clocharde?

Pendant un moment d'égarement, Tina se laissa aller à imaginer le baiser du conseiller. Ce ne serait pas un bonjour poli ni une douce tentative. Non, ce serait aussi dangereux et excitant que de plonger du plus haut tremplin dans des eaux profondes et ne plus en émerger.

— Deux nuits d'affilée! s'étonna Lisa. Tu es encore tombée sur ton ivrogne?

— Non, avoua Tina en souriant. Pas exactement mais, dans un sens, oui.

— C'est très clair... Vas-tu tout de suite sous la douche ou préfères-tu manger quelque chose et boire un bon café?

— Un café sera parfait. Merci, Lisa.

Une fois de plus, la jeune femme reconnut la chance qu'elle avait de posséder une sœur pareille. Elles étaient aussi proches que de meilleures amies et pourtant tellement différentes. Quinze mois seulement les séparaient et on les avait souvent prises pour des jumelles.

— Oh, Lisa, parfois je t'envie tellement, soupira-t-elle en lui passant les bras autour des épaules.

— Tu m'envies? Pourquoi, au nom du Ciel?

— Je ne sais pas. Tu as toujours su ce que tu voulais. Tu as toujours été si équilibrée, si généreuse. Et moi je ne causais que des ennuis aux autres, je me mettais en colère, ma chambre était un souk perpétuel et je t'empruntais tes vêtements sans te le demander... Comment as-tu pu me supporter?

— Mais qu'est-ce qui te prend, tout d'un coup? interrogea Lisa en riant. Tu m'envies? J'étais gauche et timide; tu es gaie, souriante et tu imaginais les plus belles aventures...

– Qui se terminaient toujours en catastrophe!

– Et sans cela, mon enfance aurait été d'un
ennui! En fait, tu m'amusais beaucoup. C'était toi
qui avait le plus de petits amis. Tu te souviens, tu
essayais de compter ceux que tu avais embrassés,
quelque chose comme une quinzaine...

– Lisa! s'écria-t-elle la main sur les yeux. Je
t'en prie, ne me rappelle pas cela... Tu as bien
rencontré Richard.

– Oui, sourit-elle. C'est vrai.

– A ta première sortie, tu as rencontré ton
prince. J'ai embrassé des millions de grenouilles,
et je cherche encore. Toi, tu fais ce dont tu as toujours rêvé : vivre dans une magnifique maison,
avec un merveilleux mari et un superbe enfant.
L'idéal de toute femme...

– Non, corrigea Lisa, pas le tien. Mais
n'excerces-tu pas le métier dont tu rêvais, toi
aussi? Tu as passé un an en Europe, tu as fait du
théâtre à New York, puis l'université de Californie avec tous ces diplômes. Et tu obtiendras bientôt ton doctorat. Docteur Winter...

– Oui, tu as raison.

– Tu es heureuse, n'est-ce pas. Tu n'as jamais
voulu de maison et de jardin dans lesquels tu pré-
tendais te sentir en prison.

– C'est vrai, admit Tina. J'avais hâte de parcou-
rir le monde.

– Et tu me disais, lorsque j'étais enceinte, que
le mot enfant commençait pas la lettre E, comme
esclavage.

– Mon Dieu, j'ai oublié! Quelle réflexion stu-
pide!

– Non, c'est compréhensible. Tu as tellement de choses à entreprendre.

– Peut-être, soupira-t-elle en se levant pour laver sa tasse de café.

Puis, prenant sa respiration, elle ajouta :

– J'ai rencontré un conseiller municipal. Le nouveau...

– Dustin James? Je le connais. Un de nos amis a donné une réception pour lui durant sa campagne d'élection. Oh, Tina, c'est un homme si dynamique!

– Il m'a offert un travail.

– Quoi? Mais c'est merveilleux! Pour quoi faire? Tu as accepté, j'espère?

– Oui. J'aurais eu du mal à refuser. Je l'aiderai pour ce problème des sans-abri...

– Tina, tu devrais sauter de joie. C'est une excellente occasion pour toi et puis... il est très séduisant.

– Trop... avoua-t-elle à voix basse. C'est cela qui me fait peur.

– Je n'en crois pas mes oreilles! Toi qui a toujours aimé les hommes... Je veux dire, toi qui a toujours été si à l'aise avec eux. Tu as bien dû sortir avec une centaine d'entre eux, tu les as tous trouvés magnifiques et ils sont tous restés tes amis. Jamais tu n'as été intimidée par un homme séduisant. Alors, qu'est-ce que ça veut dire?

– Je ne sais pas, je... Je ne crois pas avoir été attirée à ce point par un homme. Je pourrais vraiment l'aimer. L'aimer, tu comprends?

– Et alors? Où est le mal? Tu viens de te

plaindre des grenouilles que tu as embrassées. Il est peut-être temps pour toi de trouver ton prince.

Contrôlant mal les battements de son cœur, Tina dut s'appuyer contre l'évier et déclara :

— Lisa, tu sais, lorsque nous nous amusions à les compter? Eh bien, je n'ai jamais précisé alors que j'étais encore vierge... Personne ne m'aurait crue.

— Moi, je te crois, Tina.

— C'est vrai? Et pourquoi?

— Cela tombe sous le sens. Tu n'iras pas passer la nuit avec un garçon à moins de le connaître vraiment bien, n'est-ce pas? Et puisque tu n'as fréquenté personne assez longtemps pour cela... Excepté Dan, peut-être?

— Non, lâcha-t-elle platement en dominant un sursaut de chagrin. Même pas...

Pas à cette époque. Cela arriva beaucoup plus tard. Cependant, ce souvenir faisait encore trop de peine à Tina pour qu'elle pût en parler, même à sa sœur. Personne ne saurait jamais au sujet de Dan.

— C'est bizarre, murmura Lisa. J'ai toujours cru que tu l'aimais réellement.

— C'est vrai.... c'était vrai. Mais ce n'était pas le bon moment. J'étais trop jeune et j'avais beaucoup trop de choses en tête. Je ne voulais m'engager avec personne.

Rejetant la tête en arrière pour exorciser ce chagrin qui l'obnubilait encore, Tina poursuivit :

— J'ai encore beaucoup à faire. Des projets importants, passionnants. Je dois terminer ma recherche, écrire ma thèse, obtenir mon diplôme et me trouver un vrai métier.

– Ensuite? interrogea Lisa. Penses-tu à une relation sérieuse et durable?

– Peut-être.

– Alors n'attends pas trop longtemps. Si tu restes trop distante, ta solitude deviendra une habitude pour toi.

« Ou si je laisse quelqu'un m'approcher, je risque de me brûler », songea-t-elle. Tina n'avait ni le temps, ni le besoin de tomber amoureuse. Pas maintenant.

6

LE *Bulletin de Los Padres* annonçait en gros titre : LES PROJETS DU MAIRE POUR S'ATTAQUER AU PROBLÈME DES SANS-ABRI.

« Eh bien, songea Dustin, ce n'est pas trop tôt. »

— Voilà, monsieur le conseiller. Ce sera tout pour vous ?

L'homme sans âge qui lui parlait de son kiosque à journaux semblait étonnamment musclé et costaud. Le cou qui sortait de sa chemise kaki avait la largeur d'un tronc d'arbre mais son regard reflétait la sérénité d'un étang. « Une véritable armoire à glace », pensa Dustin de ce phénomène de la nature dont le corps se terminait malgré tout à mi-cuisse.

— Comment me connaissez-vous, demanda-t-il intrigué.

— J'ai mes renseignements, monsieur le conseiller, j'ai mes renseignements... répondit malicieusement l'infirme en indiquant une pile de journaux.

Dustin hocha de la tête.

— Gunner, précisa l'autre en lui tendant une

80

poigne d'haltérophile. Enchanté de vous connaître, monsieur James.

— Dustin... En fait, je crois que je connais une de vos amies. Tina Winter.

— Ah oui, une bonne fille.

— Je viens de lui offrir du travail, précisa Dustin en montrant le titre du journal. Elle va faire partie du comité qui aidera ces sans-abri.

— Oh, c'est bien. Ça va lui plaire. C'est tout à fait son genre.

— Depuis combien de temps la connaissez-vous?

— Un bout de temps.

— Elle prétend que vous l'avez prévenue du danger d'habiter dans la rue.

— C'est vrai.

— Pour vous avouer la vérité, Gunner, je me fais du souci pour elle. Voilà pourquoi je lui ai proposé ce travail. Elle n'a pas l'air de se rendre compte du danger.

— Non, mais elle n'écoute que son cœur. Alors, vous savez...?

— Oui, je sais. Et vous aussi, on dirait.

Suivit un long silence, interrompu par le rire de Gunner.

— Elle est forte, vous savez. Elle s'en tire drôlement bien. Elle a même envoyé un ivrogne dans le caniveau, l'autre jour. J'aurais bien aimé voir ça.

Dustin se racla la gorge.

— Un ivrogne est une chose, poursuivit Gunner. Mais les requins et les loups en sont une autre, monsieur le conseiller. Vous feriez mieux de jeter un œil sur elle.

– J'en ai bien l'intention, répliqua Dustin. Merci, l'ami.

Tina trouva Binnie assise sous un abri d'autobus, près de l'hôtel *Clifton*, en train de dévorer un sandwich. Elle portait un canotier bleu marine qui semblait encore du premier âge.

– Bonjour, Binnie.

La clocharde leva les yeux en affichant un sourire qui disparut aussitôt quand elle vit que Tina n'était pas seule.

– Ne t'inquiète pas, la rassura la jeune femme, c'est un ami...

– Dustin, déclara-t-il. Vous en avez un joli chapeau, m'dame.

Binnie, qui l'observait avec méfiance, se mit à rire, enchantée du compliment.

– Je l'ai trouvé dans le parking du centre commercial. Il était peut-être tombé d'une voiture.

– Mais qu'est-ce que tu fais ici ? interrogea Tina émue par l'accueil chaleureux que lui avait réservé Dustin.

– J'ai plus mon coin. Les flics nous font tous partir.

– Oui, je sais, soupira-t-elle.

– Vous allez à l'abri, demanda-t-elle à Dustin.

– Non, répondit-il d'un air dégoûté.

– Moi non plus. J'irai jamais. Frankie s'est fait coincer là-dedans, l'année dernière. C'est pire que la prison, vous savez. On vous asperge contre les poux et on vous prend vos affaires. Ils prétendent que c'est parce qu'il n'y a pas de place mais moi je dis qu'ils se les gardent pour eux. Eh bien, les miennes, ils les auront pas. Je reste là où je peux les voir venir.

— Tu connais son endroit? demanda Tina.

— Oui, le fossé de la Neuvième. Il y a tout le monde là-bas, Clarence, Frankie et l'acteur. Les flics ont nettoyé l'Allée, ils ont tout jeté aux ordures : les cartons, les tentes, la drogue. C'est pas une mauvaise chose. Il y avait des fous là-bas, des gens mauvais. J'avais peur d'y aller... Hé, vous voulez un peu de mon sandwich?

— Sûr, merci, répondit Dustin sans hésiter pendant que Tina remerciait poliment.

Il croqua dedans avec avidité et la jeune femme, si elle ne l'avait pas connu, aurait pu jurer que c'était là sa première nourriture de la journée. Elle en resta pleine d'admiration.

— Je vais essayer de trouver Clarence, déclara-t-elle alors. Tu viens avec nous?

— Non, je reste là au soleil. Mon arthrite, vous comprenez...

— Où ira-t-elle? s'inquiéta le conseiller lorsqu'ils se retrouvèrent seuls.

— Oh, elle a l'habitude. Cela fait longtemps qu'elle vit dans la rue.

Cependant, Tina se sentait vaguement inquiète pour son amie. Sans doute était-ce dû à la présence de Dustin. Pour une raison inconnue, se trouver avec lui la rendait nerveuse et vulnérable.

Comme s'il avait fait irruption dans son cœur en laissant la porte ouverte.

Pour se réconforter, elle se mit à lui expliquer le « fossé » de la Neuvième rue. Celle-ci traversait, à l'extrême ouest de la ville, un ruisseau asséché formant un fossé assez profond pour le passage d'un minibus.

– Ce n'est pas un mauvais refuge, précisa-t-elle. Mais chaque fois qu'ils en ont le plus besoin, en cas d'orage par exemple, il est impraticable à cause de la pluie qui le transforme en véritable torrent de boue.

Une fois sur place, Tina eut l'occasion d'observer le conseiller à l'œuvre, au milieu des clochards. Elle constata que son pouvoir de séduction agissait aussi bien sur eux que sur elle-même et admira avec quel naturel il parvenait à se mêler aux habitants du fossé. Cela devait lui venir, songea-t-elle, de ses années d'expérience dans la police.

Mon Dieu! Elle avait oublié ce détail. Un ancien flic...

– Nous continuons? lui demanda-t-il alors qu'elle le rejoignait un peu plus bas.

– Je viens de me souvenir d'une course promise à ma sœur, mentit-elle. Cela m'est complètement sorti de l'esprit. Écoutez, vous devriez rester ici pour apprendre à les connaître un peu mieux et... je vous retrouve dans votre bureau, dans deux heures environ.

Dustin l'analysa d'un regard qui la transperça jusqu'à la moelle, avant de déclarer simplement :

– D'accord. A tout à l'heure.

Puis, avec ce petit sourire en coin qui la faisait régulièrement fondre, il ajouta :

« Soyez prudente et faites attention de rentrer avant la nuit.

– Promis.

Le souffle court et se sentant terriblement coupable, Tina lui fit un signe d'adieu et poussa laborieusement son chariot sur la montée menant à la rue.

« Je me demande ce qu'elle a dans le crâne », songea Dustin en la regardant grimper. Des courses pour sa sœur... Et puis quoi encore! C'était le pire mensonge qu'il eût jamais entendu. Il se sentait à la fois amusé et déçu. Elle ne lui faisait pas encore assez confiance. Mais, quoi que ce fût, Tina voulait le faire sans lui et il respectait ses idées. Lorsqu'il décida de la suivre, ce ne fut pas pour l'espionner mais parce que, tout d'un coup, il ne pouvait plus supporter de la savoir seule dans les rues sombres et isolées.

Le parking à l'abandon, empli d'herbes folles, n'était plus qu'un endroit désolé reflétant l'échec et la désillusion. Et, selon toute apparence, excepté Tina et son chariot, il semblait désert.

Lorsqu'un mouvement attira l'œil de Dustin vers le coin du terrain vague, il pensa que c'était un chat errant. Caché derrière une voiture abandonnée, il écoutait le silence. Puis, telles des créatures nocturnes émergeant de leur terrier, de

85

petites têtes sombres apparurent au milieu des épaves de ferrailles.

Des enfants. Dustin en compta trois avant d'apercevoir une gamine de treize ou quatorze ans portant un bébé dans les bras. Arriva enfin une femme à l'allure fière, tenant un autre enfant par la main et qui regarda s'approcher Tina. Dans les paroles qu'ils échangèrent, il crut deviner de l'espagnol.

Des enfants... Parmi tous les sans-abri, la situation des petits était la plus intolérable. Une sorte de rage impuissante devant la cruauté et l'injustice de la vie lui serra le ventre.

Le conseiller vit Tina sortir des sacs de son chariot pour les donner à la mère qui en distribua le contenu à ses enfants. Ils dévorèrent les fruits avec avidité, sous le regard anéanti de Dustin. Pourquoi lui avait-elle caché sa venue ici? Ne savait-elle donc pas qu'il était là pour les aider aussi? Il se calma cependant en songeant qu'elle devait bien avoir une raison de lui cacher cela.

Lorsqu'elle repartit, il la suivit le long des rues silencieuses. Cette femme représentait un réel mystère pour lui. Plus il la découvrait, plus il avait envie de la connaître. D'autant qu'elle paraissait garder ses distances avec lui, élevant autour d'elle un mur invisible mais impénétrable. Ne l'ayant vue qu'une fois dans une tenue normale, il avait du mal à se l'imaginer au naturel. C'était devenu pour lui un demi-rêve. Commençait-il à oublier ce qu'il avait aperçu d'elle ce matin-là ou en embellissait-il le souvenir?

Dustin ne savait plus qu'une chose à présent : il désirait lui arracher ce déguisement hideux et ce maquillage qui l'enlaidissaient, pour l'embrasser jusqu'à ce que le mur dont elle s'était fait un rempart s'effondrât complètement.

Il faisait pratiquement nuit lorsque Tina pénétra dans l'Allée dont le nom faisait aujourd'hui référence à un quartier complet, la partie mal famée de la ville, située derrière la mairie. Des commerces, aussi miteux que les appartements alentour, y florissaient, allant de la librairie pornographique au bar sinistre, en passant par le magasin d'alcool ou le cinéma proposant des films de série X.

Tina y était venue auparavant, pourtant jamais après la tombée de la nuit. Elle n'avait pas eu l'intention d'y arriver si tard, mais le temps l'avait prise de court. Les cliquetis de son chariot résonnaient bruyamment sur le trottoir pratiquement désert alors qu'à quelques pas de là, mais à un million d'années lumière, des limousines aux portières soigneusement fermées se pressaient vers quelque concert ou réception mondaine.

La chaleur de ses vêtements autant que l'inquiétude faisaient transpirer la jeune femme qui marchait rapidement. Au moment où elle les dépassa, des ombres furtives se détachèrent des murs emplis de graffiti, pour lui emboîter le pas en un rang serré et silencieux.

A présent Tina sentait le danger. Elle était suivie. Les sens en alerte, elle imagina toutes sortes de réaction de défense mais elle sentait que son corps ne répondait pas. Au carrefour qui se présentait devant elle, le feu des piétons se trouvait encore au vert. Le cœur battant, du plus vite qu'elle pût et sans avoir l'air de se presser, elle s'en approcha. Mais, à trois mètres d'elle, le signal passa au rouge. La gorge sèche, elle hésita, s'arrêta puis, agrippant son chariot, s'apprêta à traverser malgré l'interdiction.

Au moment où elle descendait du trottoir, une des ombres qui la suivaient prit forme en pleine lumière. Un visage dur au regard froid l'observait. Un autre personnage, aussi menaçant, la rejoignit, suivi d'un troisième. Lorsqu'elle sentit une main se poser sur son bras, tous ses muscles se bloquèrent et elle ferma les yeux. Sans doute gémit-elle comme un petit animal effrayé devant un prédateur inconnu.

— C'est moi, petite sotte... soupira une voix familière à son oreille.

Un éclair d'espoir et de joie explosa en elle. Elle leva les yeux vers Dustin pour découvrir un visage au sourire carnassier. Son regard brillait durement.

Les deux hommes qui l'avaient suivie le considérèrent stupéfaits. Ils les dépassaient chacun d'au moins une tête. L'un d'eux ricana bêtement avant d'entraîner son complice dans l'ombre de la rue.

Sans laisser Tina ouvrir la bouche, Dustin la prit par le coude et la força à courir. Dans sa précipitation, elle perdit ses deux chaussures.

— Hé, attendez! Mon chariot! s'étrangla-t-elle en vain.

Un pâté de maisons plus loin, le conseiller s'arrêta enfin, donnant à Tina le temps de reprendre son souffle et de lui expliquer.

— Votre chariot! s'exclama-t-il incrédule avant d'afficher son fameux sourire auquel elle ne savait résister.

Puis, il lui agrippa le poignet et continua sa course, ne lui laissant d'autre choix que de le suivre. Mais, arrivé devant l'hôtel de ville, au lieu d'entrer dans le grand hall éclairé, Dustin le dépassa et, à travers le parking, se dirigea vers le parc désert. Comme elle se plaignait des cailloux qui lui blessaient les pieds, il la saisit sous les épaules et les genoux et l'emporta dans ses bras.

— Dustin, où allez-vous? haleta Tina.

— Vous verrez. J'ai quelque chose à faire...

La réponse était vague et la jeune femme en resta interloquée. Où l'emmenait-il? Le fin sourire qu'il continuait d'afficher la faisait frémir. Mais il lui vint à l'esprit que le conseiller ne courait pas au hasard. Son chemin était direct et ses pas semblaient sûrs. Elle avait l'impression qu'il se dirigeait droit vers la fontaine espagnole, qui se trouvait en plein milieu du parc. Une horrible pensée la pétrifia.

— Vous n'allez pas... me jeter dans cette... ce bassin! s'étrangla-t-elle.

Dustin partit d'un grand rire et son étreinte se resserra. Tina gémit, ferma les paupières et passa les bras autour de la nuque du conseiller en le serrant d'une force à l'en étrangler. Une seconde plus tard, elle sentit ses pieds se poser sur le rebord de la fontaine et, à regret, dut se détacher de lui. Sans un mot, il se mit à lui défaire un à un les boutons de son manteau.

— Que faites-vous, souffla-t-elle.

— Vous le voyez. Je vous enlève votre manteau.

Ses paumes se firent tièdes sur les épaules de la jeune femme et plus chaudes encore sur la peau nue de sa nuque. Le souffle court, elle sentit les doigts masculins soulever le bonnet puis la perruque qu'il laissa tomber à terre. Une à une, il ôta les épingles qui retenaient le chignon blond, pour lui laisser les cheveux épars sur les épaules. Tina se sentit subitement fléchir. Elle lui saisit les poignets et devina les muscles de ses bras tendus comme la corde d'un arc. D'une voix brisée, elle répéta :

— Dustin, que faites-vous ?

— Quelque chose... que je voulais faire... depuis le jour où vous êtes entrée dans mon bureau. Quelque chose que vous avez bien failli me rendre impossible, ajouta-t-il en lui passant une main sous la nuque.

De l'autre, il la débarrassa prestement de ses restes de maquillage puis, prenant de l'eau de la fontaine, il entreprit de lui laver le visage. Comme si son cerveau avait en partie cessé de fonctionner, Tina fut incapable de protester. Les doigts de Dustin avaient sur elle un effet magique, tandis que l'eau ruisselait dans son cou jusqu'à l'espace tiède se trouvant entre ses seins.

— Voilà. C'est mieux maintenant, souffla-t-il en l'attirant contre lui.

7

C'ÉTAIT bien ce qu'elle avait imaginé : un plongeon du plus haut tremplin, vertigineux, éblouissant... terrifiant. Tina avait l'impression de tomber. Instinctivement, elle s'accrocha aux bras de Dustin et sentit la puissance de son corps tendu comme un arc.

Au bord de la panique, comme au premier jour où l'ivrogne l'avait suivie, elle chercha à se rassurer en lui effleurant le visage... pour découvrir une peau tiède aux irrégularités merveilleusement masculines. Une barbe d'un jour lui chatouilla le bout des doigts tandis qu'elle les passait sur les fossettes qui donnaient tant de charme à son sourire. En soupirant, elle se détendit et s'appuya contre lui.

Les bras de Dustin l'entourèrent et sa bouche, doucement d'abord, effleura la sienne, pour la presser ensuite avec une tendre passion, qui, irrésistiblement, envahit l'esprit de la jeune femme. Abaissant la paume le long de son dos, il l'attira encore plus fermement contre lui et, par un doux massage dans la nuque, la força à poser la tête dans le creux de son cou.

Bientôt ce ne fut plus sa bouche qu'il réclamait, mais son corps tout entier. Ce n'était plus seulement un baiser, mais une danse érotique. Il la guidait si subtilement qu'elle ne savait plus si le rythme venait d'elle ou de lui. Incapable de respirer, Tina poussa un gémissement plaintif et se déroba à ses lèvres.

Un moment encore il la garda ainsi, la mâchoire pressée contre sa joue, ses mains lui caressant le bas du dos en lui envoyant de merveilleuses vagues de chaleur à travers tout le corps. Puis, doucement, il se mit à rire et, prise d'une émotion nerveuse, Tina l'imita puis demanda, tremblante !

— Qu'est-ce que tout cela veut dire ?

— Je ne sais pas, répondit-il encore surpris de sa propre audace. Je n'avais pas l'intention de... Je sais que je voulais vous embrasser mais... pas de cette façon. Je ne voulais pas vous infliger cela.

— Eh bien, pourquoi l'avez-vous fait ?

— Je l'ignore. Vous me séduisiez et m'intriguiez tellement.

— Moi ? Pourquoi ?

Le visage dans l'ombre, il la contemplait. Incapable de lire dans son regard posé sur elle, Tina observa sa bouche et se souvint... de la douceur de ses lèvres. Elle désira les sentir encore contre les siennes. Une faiblesse soudaine l'envahit, la faisant trembler.

— Vous avez froid, s'inquiéta Dustin.

92

— Pas étonnant. Je suis trempée.

— Je sais. Je regrette, articula-t-il en se penchant pour lui remettre son manteau sur les épaules. Venez. Ma voiture est garée sur le parking de la mairie. Je vous raccompagne chez vous.

En chemin, la jeune femme essaya par tous les moyens de ne pas repenser à ce baiser et, bien sûr, ne fit que s'en souvenir davantage. Jamais elle n'avait tant pris conscience de son propre corps. Elle ne savait plus où elle en était. Peut-être pour lui n'était-ce qu'un amusement. Peut-être faisait-elle trop grand cas de tout ceci. Elle voulut lui demander ce que ce baiser signifiait pour lui et où cela allait les mener. Mais elle s'abstint. Ce qui leur arrivait semblait encore trop fragile pour en parler.

Arrivé devant la maison de Lisa, Dustin s'étonna.

— Vous vivez avec votre sœur?

— Oui.

— Surprenant.

— Qu'est-ce qui vous surprend?

— Qu'une femme ausis indépendante que vous n'ait pas son propre appartement.

Tina ne s'était jamais sentie honteuse de n'avoir, à trente ans, rien d'autre à montrer que ses diplômes.

— J'ai vécu seule à New York, à Los Angeles et à Paris, expliqua-t-elle platement. J'avais besoin d'un pied-à-terre ici afin de poursuivre mes recherches et ma sœur m'a offert le gîte. Son

93

mari est pilote sur long courrier et donc souvent absent; aussi sont-ils heureux que quelqu'un tienne compagnie à Lisa et à son fils. Nous sommes très proches et nous rendons mutuellement service. Cela répond-il à votre question?

— Oui, mais j'en ai une autre, lâcha-t-il avant de prendre sa respiration. Fréquentez-vous... quelqu'un?

— Quelqu'un?

— Oui. Vous n'êtes pas mariée, vous ne vivez avec personne. Avez-vous quelqu'un dans votre vie?

Il y eut un silence pesant qu'il coupa en ajoutant :

— Parce que, si vous n'avez personne, j'aimerai devenir ce quelqu'un.

Tina sentait son cœur battre à tout rompre, prêt à éclater.

— Vous voulez dire... Me voir, régulièrement?

— Vous pouvez comprendre cela ainsi. Je sais que j'aimerais vous revoir, en pleine lumière, sans vos hardes. Acceptez-vous de venir dîner avec moi demain soir?

Son pouls se mit à battre si violemment, qu'elle en éprouva des palpitations. Non, cela ne semblait pas représenter pour Dustin un petit baiser à la sauvette. Il y avait autre chose. Et cette idée la paniqua comme si elle venait d'embarquer pour une destination inconnue.

— Question difficile? insista le conseiller en lui caressant la joue d'un revers de main.

— D'accord, laissa-t-elle tomber. J'accepte.

— Magnifique, reprit-il. Je viens vous prendre...
vers sept heures?

— Entendu.

Du bout des doigts, il lui balaya la nuque, puis
le dos. Tina frissonna et, pour n'en rien laisser
paraître, agrippa la poignée de la portière.

— Alors, à demain. Et... Oh, Tina...?

La jeune femme hésita avant de descendre, se
retourna et, une fois encore, fut saisie par la chaleur de son sourire.

— Portez des vêtements... plus civilisés,
d'accord?

— Tina Winter... s'étonna Logan. La vagabonde?

— Allons, Logan, aide-moi, demanda Dustin sur
un ton d'exaspération. Où puis-je l'emmener
dîner?

— Avant cela, regarde déjà ce qu'elle aura sur
elle, suggéra-t-il. Mais, si tu veux passer ton
temps avec une fille qui choisit de s'habiller ainsi,
c'est ton affaire. Cette ville est pleine de jolies
femmes qui sont plus dans ta tranche d'âge.

— Dans ma tranche d'âge? Qu'est-ce que ça
veut dire? Je n'ai pas quarante ans.

— Tu vas y arriver, mon vieux.

— Et puis, ce n'est pas une clocharde. Elle fait
ça pour se cacher, tu comprends?

— Et de quoi, je te le demande?

— De qui, pourrais-tu dire, précisa-t-il en
balayant l'air d'un geste impatient. De moi. Elle
se cache de moi.

— Et pourquoi diable ferait-elle une chose
pareille?

95

— Je n'en sais rien, mais j'ai parfois l'impression qu'elle a peur de moi ou de quelque chose. Il a dû lui arriver une histoire qui a démoli sa confiance en les hommes. Comme si elle s'était brûlé les ailes.

— Et alors? Pourquoi veux-tu t'embringuer dans une affaire pareille? Tu veux que je te dise? Je ne t'ai jamais vu aussi accroché à une fille depuis que Cindy t'a plaqué. Qu'est-ce que tu vas faire avec une donzelle à problèmes? Tu n'as pas besoin de ça.

— Où puis-je l'emmener, Logan, insista Dustin avec un regard furieux.

— Pourquoi pas l'Armée du Salut?

— Très drôle.

Tina passa l'après-midi suivant à se demander quelle tenue porter.

— Où t'emmène-t-il? demanda Lisa.

— Je l'ignore.

— Pourquoi ne le lui as-tu pas demandé?

— Je ne sais pas.

— Téléphone-lui et pose-lui la question.

Tina ne jugea même pas utile de répondre.

— Écoute, tu agis comme une collégienne avant sa première sortie. Ce n'est pourtant pas ton genre; tu t'es toujours montrée parfaitement sûre de toi. C'est lui qui te met dans cet état?

— Non. Je le connais à peine.

Pourtant, elle l'avait déjà précipité dans un caniveau, l'avait fait arrêter, lui avait flanqué son pied dans le tibia, lui avait envoyé son sac à la figure et l'avait jeté dans l'embarras devant tout un conseil municipal. Et que lui avait-il fait? Il lui avait offert un travail, lui avait sans doute sauvé la vie et... l'avait embrassée.

— Ou alors c'est toi, continua sa sœur. Qu'as-tu fait de ta belle assurance?

— Je ne sais pas! s'écria-t-elle. Qu'est-ce que je fais de mes cheveux?

Lisa soupira et laissa Tina seule avec ses dilemmes.

Jusqu'à présent ses amis l'avaient toujours considérée comme une grande fille simple et gentille. La plupart des garçons qu'elle avait fréquentés étaient restés de bons amis et, jusqu'à Dan, il ne lui était pas venu à l'esprit qu'ils pussent représenter plus.

Jusqu'à Dan... Dès le début, il lui avait fait clairement comprendre qu'il désirait davantage qu'une simple amitié. Il était plus âgé, promis à une brillante carrière et savait ce qu'il voulait. Il voulait Tina, entre autres. Elle savait aujourd'hui qu'il l'avait réellement et profondément aimée.

Elle aussi l'avait sincèrement aimé. Elle adorait discuter avec lui, être auprès de lui, l'aider. Il représentait tout ce qu'elle pouvait désirer chez un homme et elle s'était souvent imaginée passant le reste de sa vie en sa compagnie.

Mais c'était trop tôt. Elle se sentait trop jeune avec ses dix-sept ans et encore une année d'étude devant elle avant l'université, puis l'Europe et les cours de théâtre. Ce n'était pas juste. Pourquoi avait-il fallu qu'elle rencontrât Dan à cette époque où elle avait encore tant à faire?

Aussi avait-elle tenté de s'en faire un ami, espérant le garder non loin d'elle et de le faire patienter. Mais Dan n'avait pas accepté de se faire garder ainsi « au frais » pour plus tard. Il l'avait forcée à prendre une décision et Tina avait choisi. Aujourd'hui encore, elle savait qu'elle n'aurait pu faire un choix différent. Ainsi donc, ils s'étaient séparés et elle avait senti un grand vide s'installer en elle. Elle avait perdu son ami, mais ne l'oubliait pas et savait que ses sentiments pour lui restaient les mêmes et... que c'était réciproque.

Depuis ce temps-là, tout au fond de son esprit, demeurait l'espoir qu'un jour, quand elle se sentirait prête, elle trouverait le moyen de le faire revenir...

Devant le miroir, Tina frissonna. Elle avait en face d'elle un visage blême à faire frémir, une bouche gonflée et des yeux assombris par un souvenir pénible. D'accord, elle avait obtenu ce qu'elle méritait. Et alors? Pourquoi, tout d'un coup, se mettait-elle à tellement penser à Dan? C'était de l'histoire ancienne, après tout.

Mais peut-être était-ce justement à cause de quelqu'un qui, lui, n'était pas de l'histoire ancienne. Quelqu'un qui... Non! Dustin James n'avait rien à voir avec Dan. Et ce qu'elle ressentait en sa présence n'avait rien de comparable avec ce qu'elle ressentait pour Dan. Rien.

Bien sûr, elle aimait les hommes. Mais elle n'était pas certaine d'aimer Dustin. Elle ne pouvait non plus le considérer comme un ami du fait qu'elle ne se sentait pas complètement à l'aise avec lui. Dans ses relations, c'était toujours elle qui menait la danse. Mais avec Dustin... Mon Dieu, avec Dustin...

C'était cela : il fallait qu'elle reprenne le contrôle de la situation. Un homme avait, sans préavis, envahi l'espace de sécurité qu'elle se réservait. Et cela lui avait provisoirement fait perdre l'équilibre. Mais Tina avait connu ce problème auparavant. Tout ce qui lui restait à faire était de le déséquilibrer à son tour.

Dustin lui demandait de porter des « vêtements civilisés ». Cela pouvait tout dire. Il l'avait vue en jean et sweater, en hardes de vagabonde. Quelle serait la dernière tenue à laquelle il pût s'attendre ce soir ? Dans le miroir, la jeune femme découvrit sur ses lèvres le sourire de Mona Lisa.

Dans sa veste marron et son pantalon de sport, Dustin se sentait parfaitement à l'aise. Mais en apercevant son invitée, il eut un choc.

Elle portait du noir ; une robe fluide qui lui moulait magnifiquement le corps tout en le caressant et mettant en valeur ses formes féminines. Les manches en étaient longues, le décolleté vertigineux et, au plus léger mouvement, la jupe se révélait fendue sur l'arrière. Le conseiller en éprouva des démangeaisons dans les doigts, qui ne firent que s'intensifier lorsque, d'un geste protecteur, il lui posa la main sur le dos et y découvrit une seconde échancrure qui en disait long sur le sous-vêtement... qu'elle ne portait pas.

Tina avait les jambes longues et gracieuses,

fuselées par des bas de soie noire et par des escarpins à talons hauts. Ses cheveux étaient ramenés sur le sommet de la tête en un chignon savamment décoiffé, d'où s'échappaient quelques mèches blondes entourant son visage d'un halo de douceur. De simples boucles d'oreille d'or constituaient la seule fantaisie de sa tenue, à laquelle elle avait assorti une écharpe de mousseline noire et or négligemment enroulée autour de son cou gracile. Son maquillage restait très doux, accentuant à peine l'arche de ses sourcils et la sensualité de ses lèvres ourlées.

Ainsi métamorphosée, elle lui apparut comme une diablesse tentatrice, une séductrice à laquelle il serait impossible de résister. Ce n'était ni la Tina qu'il connaissait, ni la vagabonde dont le regard lui avait tant plu, mais une autre femme se cachant une fois de plus derrière un camouflage qu'elle croyait rassurant. Elle avait vu juste : Dustin ne s'était pas attendu à la découvrir ainsi. Tout chez elle respirait la séduction et semblait dire : « caresse-moi ».

Mais le conseiller savait que ce personnage n'était pas réel. Ce n'était qu'un rôle de plus que jouait Tina. La jeune femme chaude et passionnée qui, les larmes aux yeux, lui avait fait sa requête en faveur des sans-abri, avait disparu derrière cette magnifique créature.

— Ravissant ! s'exclama-t-il enfin avant de l'aider à passer son manteau.

Tout en la conduisant vers sa voiture, Dustin se demandait combien de temps il lui faudrait pour la débarrasser de ce nouveau déguisement mental dont elle s'était affublée.

Le restaurant, situé au sommet de l'hôtel *Clifton*, était probablement l'endroit le plus sélect de Los Padres. Le service était impeccable, l'atmosphère intime et confortable, la cuisine chaleureuse, et la vue magnifique sur Los Angeles et ses alentours.

Dustin n'ayant pas fait de réservation, ils durent attendre au bar en sirotant, elle, une margarita et lui, un club soda. Comme ils se trouvaient assis tout près de la piste, il proposa à la jeune femme de danser et, à son regard brillant, il crut comprendre qu'elle n'attendait que cela. Le rythme était rapide, mais il n'en avait que faire : il aimait la voir bouger devant lui, ne gardant contact avec elle que par les yeux. Cette complicité muette lui procura une jubilation extraordinaire. Tina avait beau dompter son enthousiasme naturel et modérer les mouvements de son corps, elle ne pouvait empêcher ses joues de rosir ni éteindre l'étincelle de joie qui lui faisait pétiller le regard.

— Quel plaisir! s'exclama-t-elle lorsqu'ils allèrent s'asseoir à une petite table en attendant d'être servis.

Dustin commanda de nouveau un club soda pour lui et un margarita pour sa compagne.

— Vous ne buvez pas? s'étonna-t-elle.

— Non, répondit-il platement en dirigeant les yeux vers le pianiste qui venait de remplacer l'orchestre.

— Avez-vous... Un problème de ce côté?

— J'en ai eu, avoua-t-il en regardant ailleurs. Il y a longtemps. Et je préfèrerais ne pas tenter de savoir si j'en aurais toujours.

A nouveau son regard se fixa sur l'homme qui jouait au piano et leurs yeux se rencontrèrent. Presque imperceptiblement, il fit un signe de la tête. « Il sait, pensa Dustin. Lui aussi est passé par là... »

Tournant la tête vers Tina, il comprit ce qu'elle essayait de faire. Elle lui posait les questions les plus personnelles dans l'idée de le faire craquer, tandis qu'elle restait tranquille, inviolée et inviolable, derrière l'élégante façade qui la protégeait. Dustin, cependant, n'avait nullement l'intention de la laisser réussir dans son entreprise.

— Que désirez-vous écouter? demanda le pianiste à leur adresse.

Sans quitter la jeune femme des yeux, le conseiller lui proposa un air qu'il accepta aussitôt de jouer. C'était une des chansons les plus évocatrices et les plus intimes qu'il connaisse. Au bout d'un instant, toujours suspendu au regard lumineux et transparent de Tina, Dustin se mit tout doucement à chanter.

8

« Un baiser est toujours un baiser... »

Le regard rivé sur les lèvres de Dustin, Tina évoquait des souvenirs encore très précis dans sa mémoire. Oh oui, elle se rappelait. Tous ses sens étaient en éveil et pourtant son corps s'alourdissait, devenait languide.

« Un soupir n'est qu'un... »

— Votre table est prête, monsieur.

Le soulagement inonda l'esprit de la jeune femme. Se sentant à la fois coupable et désorientée, elle leva vivement les yeux vers l'hôtesse. « Je dois garder le contrôle », pensa-t-elle désespérément en se levant. Et il lui serait impossible de le garder si elle continuait plus longtemps à songer au baiser qu'ils avaient échangé ou à l'impression qu'avaient laissée les mains du conseiller sur son corps.

L'installation à table et le choix des menus provoquèrent une distraction bienvenue mais, inévitablement, Dustin et Tina se retrouvèrent en tête à tête confrontés l'un à l'autre.

— Ainsi, vous avez été dans la police, lança la

103

jeune psychologue d'une voix claire pour se donner de l'assurance.

— Exactement, répondit son interlocuteur dans un sourire sardonique. Il y a longtemps.

— Pourquoi l'avoir quittée? demanda-t-elle plus par curiosité que pour meubler la conversation.

— Pourquoi change-t-on de métier...? Je me suis rendu compte que ce n'était pas ce que je voulais faire.

— Alors, vous vous êtes lancé dans la politique?

— La politique? Jamais de la vie. Le droit, oui. Le droit criminel. Mais un ami m'a conseillé de me présenter à la course au conseil municipal. J'ai été le premier surpris d'apprendre que j'avais gagné. Et vous? Vous avez vécu quelque temps à Paris. Racontez-moi.

Tina ne détestait pas relater ses aventures ou mésaventures à ses amis. Elle avait un don pour l'éloquence, mêlée de beaucoup d'humour. Sa famille en savait quelque chose. Et Dustin était bon public. Son sourire accueillant l'en assura immédiatement.

A la fin du repas, lorsqu'elle en arriva à ses cours de théâtre, il lui demanda :

— Qu'est-ce qui vous a fait abandonner?

— La comédie? Je n'ai pas vraiment abandonné, répondit-elle soudain grave. Pourquoi change-t-on de métier...? Je me suis rendu compte que ce n'était pas ce que je voulais faire.

Le rire de Dustin fit se retourner les clients sur lui tandis qu'une douce chaleur emplissait le cœur de Tina.

104

– J'aimerais toujours jouer, ajouta-t-elle en passant machinalement la main sur son bras.

– Vous avez froid?

– Non, c'est juste.... l'émotion. Cela me donne des frissons.

– Je m'en souviendrai, laissa-t-il tomber dans un rire très doux.

– Ah... Où en étais-je?

– Au théâtre.

– Oui, c'est cela. J'adorais jouer, me déguiser, imiter les autres et cela ne m'a jamais quittée. Mais le déclic s'est produit lorsque je me suis mise à observer mon entourage. Je me suis aperçue que j'étais plus intéressée par les gens que par la comédie elle-même. Ils me fascinaient. Alors j'ai décidé de les étudier.

– Et, pendant ce temps, vous ne vous êtes pas mariée.

– Non, répondit-elle avec méfiance.

Mais c'était trop tard. Dustin avait réussi à la faire parler un peu plus qu'elle ne le voulait. Elle devait se tenir davantage sur ses gardes.

– Pourquoi?

– Je trouve votre question plutôt personnelle.

– Tina, vous ne croyez pas qu'il est temps de se parler franchement?

La flamme de la bougie vacilla. La jeune femme tourna le visage vers la fenêtre où scintillaient les lumières de la ville.

– Je n'ai jamais rencontré quelqu'un que je puisse épouser, j'imagine.

– Jamais?

– Vous savez, le mariage, les enfants, la petite maison entourée de son gazon et de sa barrière blanche, très peu pour moi. J'ai d'autres projets, bien plus excitants et plus importants. Il faudrait vraiment quelqu'un d'extraordinaire pour me faire tout abandonner.

– Vous n'auriez rien à abandonner. Nous sommes dans les années quatre-vingt, que diable! Ne serait-ce pas plutôt l'engagement à long terme qui vous ferait peur?

Il y eut un lourd silence, entrecoupé par le bruit des couverts et le son du piano. Puis Tina lâcha brusquement :

– Et vous? Vous n'êtes pas marié, non plus.

– Je l'ai été. Il y a longtemps.

– Divorcé?

Dustin acquiesça d'un signe de tête. La jeune femme se prit à songer qu'il lui était arrivé beaucoup de choses « il y a longtemps ». Quel rapport pouvait-il y avoir entre un mariage raté, un problème d'alcool et le fait d'avoir été flic à Los Angeles?

– Vous avez des enfants?

– Non, répondit-il, occupé à payer l'addition. Pas d'enfants. Nous partons?

En se levant, il ajouta :

– A propos d'enfants, pourquoi n'avoir averti personne au sujet de ceux qui sont dans le parking?

Sa réponse le rendit à la fois triomphant et honteux. Tina se figea en lui adressant un regard furtif trahissant sa culpabilité et sa surprise.

– Comment... ?

Mais il ne lui laissa pas le temps de continuer. La prenant fermement par le bras, le conseiller lui proposa d'aller boire un café au bar. Une fois assise sur le haut tabouret, Tina, qui avait retrouvé ses esprits, lui jeta :

– Je voudrais savoir comment vous avez découvert...

L'orchestre s'était remis à jouer et la musique couvrait leurs paroles.

– Désolé, je n'entends pas ce que vous dites. Voulez-vous danser plutôt ?

La main sur l'épaule de sa compagne, il l'entraîna sur la piste. Elle danse différemment, lui sembla-t-il. Peut-être était-elle moins à l'aise, peut-être était-ce l'effet du margarita. Quelques mèches blondes supplémentaires lui retombaient dans le cou et autour du visage. Tina rejeta nerveusement en arrière son écharpe qui glissait. « Exotique et passionnée... » songea-t-il. A la voir ainsi, il se sentait bouleversé, comme il ne l'avait pas été depuis longtemps.

Lorsque le rythme devint plus lent, Dustin l'attira dans ses bras. Elle parut hésiter puis se laissa faire, tout en gardant une distance respectable entre elle et lui.

– Vous m'avez suivie, n'est-ce pas ? articula-t-elle fièrement. Voilà comment vous m'avez...

– Sauvé la vie ? coupa-t-il en plaisantant.

Le regard de Tina dévia. Dustin lui glissa alors la main sur la peau nue de son dos, laissant errer les doigts le long de sa colonne vertébrale, comme pour goûter la douceur de son épiderme.

— Je le savais, lâcha-t-elle. Un flic reste toujours un flic!

Mais Dustin la sentait tremblante. Lentement, il descendit les paumes vers ses hanches, créant ainsi entre eux un contact exquis auquel Tina ne sut résister. Il crut deviner que sa respiration s'accélérait. Regrettant d'avoir mis entre eux la froideur de la rue, il la laissa se mouvoir simplement entre ses bras, tandis que leurs deux cœurs ne battaient plus qu'un même rythme. Il la voulait sourde à la musique, étourdie. Il voulait que, sous ses caresses, elle perde tout sens du temps et de l'espace.

D'un geste ferme, Dustin lui prit le bras afin qu'elle le lui passe derrière la nuque, puis il fit de même avec le sien. Du bout des doigts, il lui effleura le cou, jusqu'à ce que son corps perde toute rigidité. Enfin, Tina pencha la tête, laissant reposer son front contre les lèvres de son compagnon. De sa bouche entrouverte, il lui caressa les tempes, les paupières, les joues. Lorsqu'il arriva sur ses lèvres, il sentit son souffle tiède se mêler au sien.

Et, soudain, Dustin crut entendre un petit cri de désespoir. Les muscles de la jeune femme se raidirent, ses paumes se crispèrent, s'agrippèrent aux épaules du conseiller puis se posèrent sur son torse. Les yeux écarquillés, elle s'écarta de lui. Ce qu'il lut dans son regard le consterna à un tel point qu'il la laissa s'éloigner.

La peur. Une peur réelle. La même que celle qu'il avait devinée chez elle lorsqu'il l'avait accos-

108

tée dans la rue, déguisé en ivrogne. Il eut l'impression de recevoir un coup de poing en plein ventre.

Il lui fallut plusieurs minutes pour se décider à payer leur café, récupérer le manteau qu'elle avait oublié et courir à sa poursuite. Arrivé à la réception de l'hôtel, il demanda si quelqu'un l'avait aperçue mais, n'obtenant aucune réponse positive, il se rua vers le parking en sous-sol.

Appuyée à sa voiture, Tina l'attendait.

— Je savais bien que je vous trouverais ici, articula-t-il la voix rauque et le cœur battant.

— Je regrette. Je n'aurais pas dû vous fuir ainsi. J'ai agi comme une enfant.

— Pourquoi avez-vous fait cela? demanda-t-il en devinant qu'elle pleurait.

Sans répondre, elle lui tourna vivement le dos.

— Tina... murmura-t-il en s'approchant d'elle pour lui poser la main sur l'épaule.

— Non, je vous en prie. Non. Ne me touchez pas comme ça!

— Comme ça? interrogea-t-il en la faisant doucement se retourner.

Lui prenant le visage entre les mains, il le garda ainsi comme un précieux trésor. Des larmes coulaient aux coins de ses yeux clos, qu'il balaya du pouce avant de se pencher pour poser ses lèvres sur les siennes. Il l'embrassa avec une tendresse qu'il ne se connaissait pas. Une délicieuse tendresse qui le rendait aussi fragile qu'elle.

Elle essaya de se défendre mais, cette fois, Dustin avait pris les devants.

— Tina, que se passe-t-il? Qu'est-ce qui ne va pas?

— Je ne veux pas me... sentir ainsi. Je ne veux plus éprouver de tels sentiments.

— Pourquoi? demanda-t-il doucement.

— Cela fait trop mal, avoua-t-elle en fermant à nouveau les paupières.

— Oh, mon Dieu, s'émut-il en la serrant contre lui comme pour l'empêcher de s'échapper à nouveau.

Comment un tel bouleversement pouvait-il encore s'emparer de son esprit? Jamais il ne se serait cru encore capable d'une telle émotion devant une femme.

— Tina, l'amour n'est pas fait pour blesser. Qu'est-ce qui vous a fait tant de mal? Est-ce quelqu'un? Voulez-vous que nous en parlions ensemble?

Comme la jeune femme ne faisait que secouer la tête à ses questions, il insista gentiment :

— Je crois que vous devriez vous confier un peu. On dirait que vous êtes restée trop longtemps sans parler. Vous savez que vous pouvez me faire confiance. Je ne vous ferai jamais de mal, j'en serais bien incapable.

S'écartant d'elle, il ajouta :

— Parlez-moi, je vous en prie.

— Ce n'est rien, dit-elle enfin en s'essuyant les yeux. C'est idiot.

— Racontez-moi tout de même.

— Je ne crois pas que je pourrai.

— Bien sûr, vous le pouvez, insista-t-il en souriant. D'abord, dites-moi son nom.

En sécurité dans l'obscurité de la voiture de Dustin, Tina se décida enfin à lui dévoiler son histoire avec Dan. Elle lui parla de sa tragédie d'être tombée amoureuse de lui à dix-sept ans, avant l'âge... Le conseiller ne jugeait pas, il écoutait. Elle repensait à ses paroles : « Vous pouvez me faire confiance. Je ne vous ferai jamais de mal. » Et, sans savoir pourquoi, elle voulait le croire.

— Je ne sais pas si vous pouvez comprendre cela, murmura-t-elle après un long silence. Cette virginité... Plus vous la gardez, plus il semble difficile de vous en débarrasser. Au moins, est-ce ainsi pour moi. J'ai eu tant d'amies qui ont souffert d'une aventure sexuelle. Cela m'a déterminée à n'en vivre aucune moi-même avant que je me sente prête. Voilà pourquoi je n'ai jamais dormi avec Dan... à cette époque. Je l'aimais tout en me sachant incapable d'une telle relation avec quelqu'un. Vous comprenez?

Dustin tourna les yeux vers elle et lut une sorte de crainte dans son regard. Prenant une profonde respiration, elle le fixa et continua :

— J'ai toujours voulu que la première fois soit... spéciale. Il fallait que je sois très amoureuse. Et moi, je tombe amoureuse toutes les semaines. Mais jamais, depuis Dan, aucune histoire n'a évolué pour moi en un véritable amour. Je passais mon temps à me demander si je devais ou non me donner à tel ou tel garçon. Je l'aurais pu, si souvent... Puis je me lassais. Et à présent, j'ai attendu si longtemps...

— Tina, souffla-t-il, si vous essayez de vous excuser d'être encore vierge, il ne faut pas.

— Mais je ne le suis plus, laissa-t-elle tomber.

— Que s'est-il passé? interrogea-t-il le cœur serré.

— J'ai revu Dan. Il y a un an. Je l'ai rencontré par hasard à un séminaire, à San Diego. Nous avons reparlé du bon vieux temps, puis nous avons dîné ensemble. J'avais un peu bu. Sans doute était-ce dû à la nervosité de le revoir. Nous avons dansé. Et je ne sais plus comment cela s'est passé mais nous avons fini... dans la même chambre.

Tina fit une pause. Dustin n'ouvrit pas la bouche. Au bout d'un moment, elle poursuivit :

— Cela représentait... tout ce que j'avais espéré. J'éprouvais pour lui les mêmes sentiments qu'autrefois et je croyais qu'il en était de même pour lui. Je le croyais... Mais il ne m'a pas dit que ce n'était pour lui qu'une sorte de revanche; pour avoir été rejeté toutes ces années. Il ne s'est pas montré brutal, seulement froid. Et finalement, il m'a avoué que c'était une erreur, qu'il était amoureux de quelqu'un d'autre et qu'il allait se marier. Il ajouta qu'il prenait l'entière responsabilité de ce qui nous était arrivé, que nous avions un peu trop bu et que nous nous étions laissé entraîner par notre souvenir commun. Enfin, vous imaginez le reste : « C'était sympa de se revoir, Tina. A bientôt... »

— Je comprends le mal que cela peut faire...

— Oui. A l'époque, j'ai cru mourir.

Dustin fit brusquement démarrer la voiture. Tina sursauta.

– Où allons-nous?

– Je ne sais pas. Vous avez quelque chose à suggérer? Nous n'avons même pas bu notre café.

– Dans ce cas allons... chez moi, proposa-t-elle.

– Tout à fait d'accord. Cela me permettra de faire la connaissance de votre sœur.

Réchauffée par le son de sa voix, Tina émit un rire de soulagement, comme si elle venait de se sortir d'un mauvais pas.

– Je n'ai pas dit chez ma sœur, précisa-t-elle. Chez moi. Ce n'est pas loin d'ici.

– D'accord, observa-t-il intrigué.

– Dustin, murmura-t-elle en lui effleurant la main, merci. Vous êtes un ami... inattendu.

Se tournant vers elle, le conseiller la gratifia d'un regard énigmatique puis, dans un geste de possession dévoilant une passion longtemps retenue, il lui saisit le poignet et le posa sur sa cuisse. Tout en conduisant, il le garda ainsi, mais quelque chose d'indéfinissable dans son profil sévère suggéra à Tina qu'elle avait peut-être prononcé une parole blessante à son égard.

– J'avais l'intention de vous emmener ici un de ces jours, avoua-t-elle en frissonnant sous le vent froid. Mais je ne m'attendais pas à y venir ce soir. L'endroit est terriblement venté, c'est pourquoi personne ne vient y dormir en hiver. J'adore y rester. C'est un peu ma maison... sans barrières.

Serrant son manteau contre elle, Tina ôta les escarpins qui la gênaient pour marcher dans l'étroit sentier menant au promontoir dominant la ville.

L'amitié... La valeur de l'amitié. Surtout ne pas la gâcher. Quel noble sentiment! Dustin commençait à comprendre le déguisement sous lequel se cachait la jeune femme. Elle contrôlait entièrement la situation et il se retrouvait pieds et poings liés. Elle lui en avait dicté les règles et s'il lui prenait d'en violer une seule, ce serait leur sacro-sainte amitié qu'il violerait. Surtout ne pas confondre amitié et intimité...

— Savez-vous ce que les sans-abri voient d'ici? demanda soudain Tina. Ils regardent les autres évoluer dans leur petite maison avec leurs enfants, leur piscine ou leur barbecue. Et je crois que, pour rien au monde, ils n'accepteraient d'y habiter. Pour eux, ce serait comme vivre dans une cage.

— Et ceux qui préfèrent rester sur le parking?

— Vous voulez dire les enfants?

— Oui, Tina. Pourquoi ne m'en avez-vous pas parlé? Il y a des organisations pour cela. J'aurais pu...

— C'est ce que vous croyez! coupa-t-elle. Il n'existe aucune organisation pour aider les immigrés mexicains illégaux. Sauf pour les faire sortir du pays...

— Ils sont vraiment illégaux?

— Certainement.

— Leur avez-vous parlé?

— Oui et non. Mon espagnol n'est pas très bon. Mais je crois qu'ils sont illégaux. Ils ont l'air tellement effrayés.

— Où est leur père?

— Je ne sais pas. Chaque fois que je le demande, cela a l'air de les effrayer davantage. J'imagine qu'ils ont dû se séparer à la frontière. Et s'il les cherche? Comment les retrouvera-t-il?

— Tina, articula-t-il en la prenant par les bras, il faut que vous m'emmeniez là-bas. Je parle bien l'espagnol. Je vous en prie, laissez-moi les rencontrer.

Regrettant de lui avoir caché l'existence de ces enfants, Tina lui posa impulsivement les paumes sur les joues.

— Oh, je suis désolée, Dustin. J'aurais dû vous faire confiance. Vous avez été si merveilleux. Je sais que vous êtes mon ami.

— Merci, lâcha-t-il sardonique en lui ôtant les mains de son visage.

Il n'était pas question de confondre son émotion pour ces sans-abri avec celle qu'il éprouvait auprès d'elle.

— Demain matin à la première heure, ajouta-t-il, nous allons les voir. Mais, maintenant, partons d'ici avant que je gèle sur place. Vous avez les mains si chaudes. Vous n'avez pas froid?

— Oh, non. Le froid ne me fait pas peur. Je dois être une enfant de l'hiver...

Devant la maison de Lisa, Dustin lui adressa un chaste bonsoir, en songeant qu'aimer une fille de l'hiver pouvait bien se révéler un travail austère et solitaire.

9

ASSISE sur le pare-chocs d'une guimbarde abandonnée, Tina pelait une orange sous les yeux affamés d'un gamin aux cheveux noirs. Un peu plus loin, se trouvait Dustin qui, dans un espagnol impeccable, apportait des paroles rassurantes à la mère de l'enfant.

Dustin... Son amitié lui semblait un véritable miracle. Hier, elle se sentait incertaine à propos de ses sentiments pour lui. Aujourd'hui, elle avait pris confiance et, mieux encore, elle parvenait à penser à Dan sans aucun pincement au cœur.

— Voilà, mon bonhomme, dit-elle au petit garçon en lui offrant l'orange pelée.

— *Gracias*, murmura-t-il en retour avant de courir retrouver ses frères et sœurs.

A présent tout à fait à l'aise vis-à-vis du conseiller, Tina n'avait pas jugé utile de lui en mettre plein la vue avec des vêtements par trop féminins. Elle portait son vieux jean usé, un sweat-shirt qui avait connu des jours meilleurs et des tennis Reebok. Son maquillage était pratiquement inexistant et ses cheveux lui tombaient naturellement sur les

116

épaules. Quelle différence avec la femme qui avait dansé dans les bras de Dustin, la nuit dernière! Lorsqu'il était venu la chercher ce matin, elle avait bien deviné à son regard que sa tenue ne lui déplaisait pas, au contraire.

En lui ouvrant la porte, elle l'avait découvert vêtu de la même manière et son allure décontractée lui avait donné chaud au cœur. Elle avait eu du mal à réprimer une furieuse envie de se jeter contre lui et de l'étreindre en passant les bras sous son blouson de cuir entrouvert.

Tina le vit s'approcher de sa démarche sportive et lui trouva l'air préoccupé, presque menaçant.

– Partons, lui dit-il.

Sautant du pare-chocs, elle jeta un coup d'œil à la Mexicaine qui serrait farouchement son dernier-né dans le bras, son regard semblant avoir perdu tout espoir.

– Qu'est-ce qui ne va pas? demanda-t-elle au conseiller.

Sans répondre, il l'emmena plus loin en la saisissant par le coude d'un geste exaspéré. Les mâchoires serrées, sans un mot, il lui ouvrit la portière de sa voiture puis alla s'asseoir au volant et démarra. En chemin, le silence s'épaissit pour se transformer en un mur invisible s'élevant autour de Dustin, que Tina fut bientôt impuissante à pénétrer. Brusquement, alors qu'ils traversaient un quartier résidentiel, il freina et stoppa la voiture à l'entrée d'une allée. Puis, semblant submergé par une lassitude soudaine, il laissa reposer son front sur les mains.

Tina demeura incapable de faire le moindre mouvement. Leur amitié était trop neuve. Elle ignorait ce qui se passait en lui. Pour la première fois de sa vie, elle ne savait comment réagir. C'était une impression terrible.

— Dustin, qu'est-ce qu'il y a?

Au bout d'un moment qui lui parut une éternité, il se laissa retomber contre le dossier et articula :

— Je suis désolé. Je n'aurais jamais cru que cela m'affecterait tant.

— Quoi, cela?

— Ils ne sont pas illégaux, Tina. Elle a peur de son mari. Elle et toute sa famille se trouvent dans ce damné parking seulement parce qu'ils sont terrorisés par lui.

— Par son mari? Il est...

— Il abuse d'eux, oui, affirma-t-il dans une moue de dégoût. Apparemment, il serait le seul à être citoyen légal de ce pays et se serait arrangé pour leur obtenir la permission d'entrer, il y a un an. Mais j'imagine qu'ils restent très isolés, ne parlant pas l'anglais et les gosses n'allant pas à l'école. Je soupçonne le père de leur taper dessus lorsqu'il est ivre. Elle me raconte aussi que la situation s'est empirée depuis la naissance du dernier. Il l'accuse d'infidélité en prétendant que le bébé n'est pas de lui. Il l'a sauvagement battue, plusieurs fois et elle a de plus en plus peur pour le petit.

— Il va l'envoyer à l'hôpital ou la tuer même. Oh, mon Dieu... Mais pourquoi n'est-elle pas allée à la police?

118

– Elle pensait qu'on ne la croirait pas ou que son mari s'en apercevrait.

– Mais il existe des abris, des refuges pour les gens comme elle.

– C'est bien ce que je lui ai dit. A présent, elle essaie simplement de me croire. Je lui ai promis que nous reviendrions demain.

– Dustin, murmura la jeune femme en lui posant la main sur l'épaule. Vous vous attendiez à quelque chose de ce genre, n'est-ce pas?

– Oui, admit-il d'une voix caverneuse. Je le savais. Je connaissais ce regard et ce qu'il signifiait.

– En tant que policier?

– Non, avoua-t-il avec l'air sombre.

Il retrouvait le visage du vagabond qu'elle avait rencontré ce matin d'hiver... Mais aujourd'hui ce visage ne l'effrayait plus. Elle n'avait qu'une envie : serrer Dustin contre elle et le garder ainsi jusqu'à ce que disparaisse l'angoisse qui le tourmentait.

– Eh bien, déclara le conseiller. Nous voici arrivés.

A midi, la rue entière semblait anormalement déserte, des nuages menaçants pointant à l'horizon. Il se tourna vers Tina dont les traits semblaient parfaitement refléter ce qu'il ressentait : qu'allaient faire les sans-abri sous la pluie? Et il ne supportait pas l'idée de se retrouver en compagnie de Tina, à prendre le thé devant un bon feu, alors qu'eux... Non, décidément, il ne pouvait même pas y songer.

Mais pourquoi Tina ne descendait-elle pas de voiture et ne lui disait-elle pas simplement au revoir? Plus elle restait là, plus il détestait devoir la laisser partir. Si elle demeurait plus longtemps, il ne répondait plus de lui et ce serait désastreux. Elle redoutait tellement la moindre intimité entre eux que, s'il esquissait un mouvement vers elle, la jeune femme prendrait peur à nouveau et, cette fois, il pourrait bien perdre à tout jamais son amitié.

Dustin désirait qu'elle partage sa vie et, pour cela, il se sentait prêt à user de toute la patience du monde. Mais pourquoi ne descendait-elle pas? Décidant alors d'aller lui ouvrir la portière, il s'arrêta net dans son élan lorsqu'elle articula :

— Dustin...

— Quoi?

— Je... Je n'ai pas envie de rentrer.

— De quoi avez-vous envie? demanda-t-il le cœur tremblant.

— Je ne sais pas. C'est dimanche, il fait froid et... si vous n'avez rien d'autre à faire, peut-être pourrions-nous déjeuner ensemble?

— D'accord, lâcha-t-il simplement. Pensez-vous à un endroit spécial?

— Non, pas vraiment.

— Voudriez-vous venir chez moi? s'entendit-il prononcer.

— Nous y voilà, oberva Dustin en freinant devant le chemin de gravier montant à sa maison. Je vous ferai faire le tour du propriétaire plus

120

tard. Maintenant, je ne sais pas ce que vous en pensez, mais j'ai une faim de loup.

La maison du conseiller ne se trouvait qu'à une dizaine de kilomètres au nord de Los Padres et pourtant elle rappela à Tina une de ces habitations mexicaines, perdues au milieu d'un désert rosé parsemé de quelques cactus et broussailles, que dominaient au loin des collines bleutées. Les murs en étaient couleur sable et l'architecture basse aux lignes douces dénotait malgré tout un modernisme qui se devinait aux grandes baies vitrées, construites pour capter un maximum de soleil.

— J'espère que vous excuserez mon désordre, dit-il en la faisant entrer. Je n'ai jamais eu de chance avec les femmes de ménage.

Tina fut surprise de constater qu'il avait essayé de recréer chez lui toute la beauté du désert. Dallage ocre, tapis Navajos, murs blancs et la lumière du ciel qui pénétrait de tous les côtés.

— C'est magnifique...

— Vous n'avez pas vu la cuisine, reprit-il dans un sourire malicieux.

La jeune femme resta émerveillée devant la pièce où style indien et confort moderne semblaient faire un excellent ménage.

— Je cuisine moi-même, ajouta-t-il en ouvrant un congélateur géant. Que désirez-vous? Du chinois, de l'indien, de l'italien? Quelques minutes dans le micro-ondes et le tour est joué.

— Je crois qu'un plat italien sera délicieux.

Ils déjeunèrent perchés sur de hauts tabourets,

accoudés à un bar recouvert de carrelage ocre, puis Dustin proposa à Tina de lui faire visiter son royaume.

— Mais il pleut! protesta-t-elle.

— Allons, venez, insista-t-il en lui posant son blouson de cuir sur les épaules. Il n'y a rien de plus beau que le désert sous la pluie.

Le sourire qu'il lui décocha alors lui emplit le cœur d'un irrésistible plaisir, d'un bonheur presque fou.

Bonheur... Enveloppée dans la douceur tiède du vêtement de son compagnon, Tina ignorait ce sentiment nouveau qui s'emparait d'elle, de son corps, de son esprit. Frémissante, elle le suivit sous la pluie qui donnait au désert des couleurs pastel inattendues. Un peu plus loin, tous deux s'arrêtèrent en haut d'une colline pour admirer la vallée qui s'offrait à leur regard. Dustin s'avança lentement vers elle, ressentant le besoin furieux de la serrer dans ses bras.

— Oh, Dustin, s'émerveilla-t-elle. C'est si beau. Comment avez-vous trouvé cet endroit?

— Grâce à Logan, le chef de la police. Il habite non loin d'ici.

— Vous connaissez-vous depuis longtemps?

— Nous avons fait nos classes à la police ensemble et nous nous sommes retrouvés chacun témoin du mariage de l'autre. Il a refusé d'élever son enfant à Los Angeles et s'est installé ici en me conseillant d'y venir aussi. Sans même en parler à Cindy, je me suis décidé à acheter ce lopin de terre. Grave erreur... Elle a immédiatement détesté ce coin.

122

– Comment peut-on détester un endroit pareil?

– Elle venait de Seattle et trouvait le désert trop chaud, trop sec et trop vide. J'imagine qu'il n'est pas fait pour tout le monde.

– Eh bien, moi je l'aime! s'écria-t-elle en partant d'un rire insouciant. Il y a une si belle lumière, un air tellement bon et tant d'espace!

Levant les bras, elle se mit à tourbillonner de joie et vint atterrir dans les bras de Dustin, ému par le plaisir qu'elle lui montrait de se trouver là.

Lorsqu'elle leva les yeux vers lui, le rire de la jeune femme vint mourir dans sa gorge. Sa bouche s'entrouvrit, laissant juste passer son souffle haletant. D'un revers de main, Dustin balaya tendrement les gouttes de pluie de ses joues puis il pencha la tête et vint poser ses lèvres sur les siennes, fiévreusement, avec une ardeur qui le dévorait depuis trop longtemps.

Il l'embrassa sans aucune retenue, presque violemment, sans lui laisser une seule chance de se défendre. Tina lâcha d'abord un gémissement, puis un soupir d'abandon et ses paumes fraîches vinrent lui caresser le visage avant de remonter dans sa chevelure mouillée pour finalement s'agripper à sa nuque. Alors il posa les mains sur la taille de la jeune femme et les glissa doucement sous son sweat-shirt. Lentement, elles remontèrent contre sa peau humide en lui arrachant une plainte de plaisir. Le conseiller avait l'impression de se noyer en elle, à peine conscient de l'audace de ses doigts qui se promenaient maintenant le long des côtes de sa compagne, pour arri-

123

ver sous ses seins et en suivre doucement la courbe ferme et soyeuse. Le désir et l'envie le torturaient au point qu'il dut détacher sa bouche de la sienne afin de libérer un cri qui lui brûlait la gorge.

– Dustin... murmura-t-elle, les yeux clos.

– Oh, Tina! laissa-t-il échapper en la serrant contre son torse.

La joue plaquée contre sa chevelure blonde, il lui passa un bras autour des épaules et devina la tempête qui sévissait en elle.

– Cette fois, Tina, articula-t-il, je suis certain de ce que je veux...

« Il a besoin de moi », songea-t-elle avec délice et elle comprenait soudain qu'elle devenait la lumière qui allait éclairer ce beau visage si souvent sombre. Dustin avait besoin d'elle... Personne auparavant n'avait réellement eu besoin d'elle. Souriante, elle le contempla un moment et, d'un regard, lui fit comprendre qu'elle s'offrait à lui, sans condition, uniquement parce qu'elle le désirait.

Alors, avec une lenteur désarmante il lui prit le visage entre les mains, et, de ses lèvres, vint boire les gouttes de pluie qui s'étaient déposées sur celles de la jeune femme. Le baiser fut doux cette fois et sa réserve ne fit qu'exacerber les sens de Tina. Elle devinait son pouls battre plus vite que jamais et la passion de son compagnon s'infiltrait en elle en des vagues brûlantes.

A l'instant où il releva la tête, elle tremblait encore et il lut dans son regard la même faim qui

124

le tenaillait lui-même. La phrase qu'il allait prononcer lui sembla alors évidente mais ce fut elle
qui la formula en lui effleurant la joue.

— Allons à l'intérieur.

10

UNE averse soudaine les surprit à quelques mètres de la maison. Ils entrèrent dans la cuisine en riant et s'ébrouèrent commes deux chiens joyeux.

— Mon Dieu, votre blouson! s'écria-t-elle. J'espère qu'il s'en remettra.

— Ne vous en faites pas, la rassura Dustin en le lui ôtant. Il en a vu d'autres. Mais vous êtes trempée.

— Vous aussi.

— C'est vrai, observa-t-il en lui écartant une mèche humide du visage. Nous devrions peut-être nous débarrasser de ces vêtements mouillés. Montez la première, utilisez la salle de bains pendant que je prépare un bon feu.

— Mais... vous êtes encore plus trempé que moi, protesta-t-elle.

— Ça ira, murmura-t-il amusé. Allez. Prenez une douche, si vous voulez, et séchez-vous avec le peignoir bleu qui est propre.

Quelque peu inquiète, Tina lui jeta un regard mal assuré mais ne trouva aucune réponse dans ses yeux sombres.

— Allez, répéta-t-il fermement en la prenant par les épaules. Sinon vous allez geler.

N'ayant plus le choix, elle se décida à monter. La chambre de Dustin lui apparut aussi confortable et lumineuse que le salon. Elle y pénétra comme une étrangère violant l'intimité d'un... étranger, pour découvrir avec un amusement attendri qu'un désordre sympathique y régnait; celui d'un homme visiblement très occupé.

La salle de bains, dotée d'un plafond de verre ouvrant sur le ciel, était spacieuse et claire. Au milieu, trônait une baignoire jacuzzi entourée de plantes vertes allant chercher haut leur lumière.

Se défaisant de sa crainte comme de ses vêtements, Tina se glissa sous la douche. Elle aurait bien voulu se prélasser dans un bain à bulles; mais quel plaisir à le faire seule? Ne s'attardant sous l'eau tiède que le temps de se réchauffer, elle sortit rapidement, passa le peignoir de Dustin et se sécha les cheveux qu'elle coiffa de ses doigts avant de retourner au salon.

Occupé à observer les flammes de la cheminée, le conseiller ne l'entendit pas arriver. Tina se posta derrière lui et s'émut devant l'image que lui offrait cet homme de dos, sans défense. Pourquoi lui semblait-il si vulnérable? Pourquoi éprouvait-elle un tel besoin de le réconforter, d'ôter de ses yeux cette expression si sombre?

Devinant enfin sa présence, Dustin se retourna et lui sourit. Son regard était doux mais indéchiffrable.

— Je vois que vous avez tout trouvé.

– Oui, merci. Mais vous êtes encore mouillé.

– Comme le feu a l'air d'être bien parti, je vais me changer. Je reviens tout de suite.

Tina, qui lui barrait le passage, s'écarta légèrement. Mais, au moment où il la croisait, la jeune femme planta son regard dans le sien et lui posa les mains sur les hanches.

– Tina...

Sans un mot, elle saisit le bas de son sweater et le fit lentement remonter. Fermant les yeux, Dustin laissa échapper un soupir puis, d'un geste leste, fit glisser le vêtement par-dessus sa tête.

– Votre peau est si froide, murmura-t-elle en lui passant les paumes sur les côtes.

– Tina... répéta-t-il d'une voix rauque en lui saisissant les mains.

Pendant un long moment leurs yeux restèrent rivés l'un à l'autre puis, dans un soupir, la jeune femme ferma les paupières et vint s'appuyer contre le torse de Dustin chez qui elle devina un imperceptible tremblement. Elle se sentait parfaitement calme, détendue et, pour la première fois, emplie d'une confiance inébranlable, certaine que ce qu'elle faisait était bien.

Les doigts du conseiller lui caressèrent les épaules à travers le tissu éponge puis vinrent s'immiscer sous les revers du peignoir qui s'ouvrit en glissant le long de ses bras. Alors, les paumes masculines s'enhardirent jusqu'à la taille de la jeune femme et la saisirent en l'attirant contre lui. Tremblante de délice, Tina lui offrit la nudité de sa peau. La réponse de Dustin fut

128

immédiate. Lui caressant la poitrine de son torse bronzé, il entreprit de défaire la ceinture qui retenait encore le vêtement. Celui-ci tomba mollement au sol, et Dustin découvrit le bouleversant spectacle d'une beauté nue.

Une vague de chaleur traversa le corps de Tina qui, perdant tout contrôle, laissa échapper un cri.

— Dustin...!

D'un seul coup, elle comprit que l'instant qu'elle était en train de vivre n'avait aucun rapport avec celui vécu auprès de Dan. La sentant vaciller contre lui, le conseiller la prit dans ses bras. Il devina aisément les vibrations de son corps et vit quelques gouttes de transpiration perler sur son front. Instantanément, il reconnut la peur en elle. Empli d'une immense tendresse, il murmura :

— Ne vous inquiétez pas, ma chérie.

Les yeux clos, Tina lui passa une main nerveuse dans les cheveux et lui offrit son visage.

— Tina... je vous désire, soupira-t-il. Je crois que... j'ai vraiment besoin de vous.

Ses lèvres se pressèrent délicatement contre les siennes.

— Mais, continua-t-il, je peux encore vous reconduire chez vous, si vous le voulez.

— Non, je ne veux pas rentrer chez moi.

— Que voulez-vous, alors?

— Je veux...

— Oui?

— Je peux...

Elle flottait à présent dans un univers tiède et

enivrant, le rythme de son pouls s'accélérant à chaque seconde qui passait. Elle fut incapable de savoir si elle avait pensé ou prononcé ces mots : « Je vous veux. »

Étendue maintenant sur le moelleux tapis devant la cheminée, Tina ouvrit les yeux pour découvrir son compagnon allongé près d'elle, sur elle, lui faisant sentir le poids de son beau corps musclé. La tête reposant sur les bras de Dustin, elle avait la paume emprisonnée dans celle de son compagnon, tandis que de l'autre il lui caressait tendrement le cou, la gorge, la poitrine...

Elle contempla son visage et aperçut le sourire aux fossettes qu'elle aimait tant. Langoureusement, elle lui tendit les lèvres, le souffle suspendu au sien. Leurs bouches s'effleurèrent, se touchèrent pour ne faire plus qu'une. De sa main libre, Tina massa la nuque de son compagnon, comme pour le réconforter. Calmé par ces caresses délicates, il s'écarta légèrement d'elle et l'admira. Jamais il n'avait vu un corps aussi beau. Les flammes se reflétaient sur la peau satinée et dorée de la jeune femme, dansaient sur ses seins ronds en venant mourir sur son ventre plat.

Étonné par l'urgence de son propre désir et par la réponse que lui offrait la jeune femme, il se pencha vers elle et posa les lèvres sur sa poitrine. Tina lâcha un gémissement de délice, ses muscles se raidissant et tremblant sous lui.

— Je peux encore m'arrêter, si vous le désirez.
— Non... supplia-t-elle.
— Tina, regardez-moi, ordonna-t-il tout à coup.

Obéissante, elle leva les yeux vers lui.

– Je ne vous ferai jamais de mal, vous entendez? En aucun cas. Vous le savez, n'est-ce pas?

Elle acquiesça silencieusement. Mais Dustin
hésita, sachant parfaitement ce qu'il allait devoir
exiger d'elle, comprenant qu'il n'existait rien de
plus vulnérable qu'une femme qui s'offre à un
homme.

– Faites-moi confiance, murmura-t-il conscient
de la trahison dont elle avait déjà été victime.

– Je vous fais confiance, soupira-t-elle en se
décontractant soudain.

Bouleversé de la voir ainsi s'offrir à lui, Dustin
en oublia presque la promesse qu'il venait de lui
faire de ne pas la heurter. Il s'empara d'elle, doucement et avec toute la tendresse et la délicatesse
dont il était capable.

« Je ne savais pas », songea brusquement Tina
emportée dans un tourbillon de plaisir. Sentant
que son cœur, son esprit, son corps étaient prêts à
exploser, sa dernière pensée cohérente fut de se
rendre compte qu'elle ne se remettrait jamais de
ce moment paradisiaque dans les bras de Dustin.
Une autre Tina était en train de naître. A partir de
cet instant aussi fou qu'irréel, rien ne lui semble-
rait plus pareil.

Cette différence en elle était tout simplement
Dustin. Il faisait à présent et pour toujours partie
intégrante de la jeune femme. Ce n'était pas une
union entre eux mais une osmose. Elle ne savait
qu'une chose : elle ne voudrait plus jamais être
séparée de lui. Jamais.

Dustin... Maintenant, il représentait un poids bien réel sur sa poitrine, son ventre, ses hanches. Son compagnon lui avait passé les bras sous la nuque afin de lui soutenir la tête et, sous ses paumes fébriles, elle sentait la peau tiède et humide de son dos. L'union de leurs deux corps était complète, parfaite : jambes entrelacées, chair contre chair, chacun se mouvant doucement au rythme des battements du cœur de l'autre. Tina songea que devoir se séparer de lui à cet instant se révèlerait pour elle une terrible souffrance, un déchirement total.

Lorsqu'il ôta son visage du creux de son cou, elle émit un cri de douleur. Inquiet, Dustin lui demanda ce qui se passait.

— Ne me laisse pas! soupira-t-elle affolée.

— Jamais, murmura-t-il tendrement. Je te l'ai promis, ma chérie.

— Je veux dire, maintenant. Reste et serre-moi encore... longtemps.

— Autant que tu le voudras, répondit-il en lui effleurant le front de sa bouche entrouverte. Mais... je dois être un peu lourd.

— Non! supplia-t-elle en s'agrippant à lui.

— Attends... j'ai une idée, proposa-t-il en roulant sur le dos et l'entraînant avec lui. Voilà. N'est-ce pas mieux ainsi?

— Je ne savais pas, répéta-t-elle plus tard dans un souffle.

— Tu ne savais pas quoi, mon amour?

— Que cela pouvait être ainsi.

Qu'aurait-elle répondu s'il lui avait demandé

d'expliquer cette sensation? Tina l'ignorait. Aussi fut-elle heureuse qu'il se contente de l'étreindre encore plus passionnément, comme si les mots lui semblaient trop pénibles à articuler.

Tina s'éveilla dans un frisson de froid et constata qu'il faisait nuit. La maison était plongée dans la pénombre et quelques braises rougeoyaient encore dans la cheminée.

– Dustin, soupira-t-elle en lui caressant le visage.

– Oui, ma chérie... Mon Dieu, quelle heure est-il?

– Je ne sais pas... Dustin, j'ai froid.

– Moi aussi, observa-t-il en s'étirant. Et j'ai des courbatures. Je suis trop vieux pour dormir sur le sol.

– Pauvre chéri, murmura-t-elle gênée. Et moi qui était allongée sur...

– Chut... souffla-t-il.

Lui passant un bras sous la nuque, Dustin lui déposa un doux baiser sur les lèvres. Un baiser qui la réchauffa comme rayon de soleil. Un baiser d'amour.

– Tu peux t'endormir sur moi autant que tu veux. Il me faut simplement quelque chose d'un peu plus mou sous le corps.

– Je vais me lever, suggéra-t-elle.

Mais les mains de Dustin se trouvaient déjà sur le dos de la jeune femme, lui prodiguant de merveilleuses et sensuelles caresses.

– Comme tu voudras... Mais je peux te garder ainsi autant que tu le désireras.

Chaque centimètre de son corps s'éveilla alors sous les doigts de son compagnon qui lui insufflaient une vie nouvelle. Elle s'étira longuement et déplaça son corps sur le sien en un mouvement sinueux trahissant le peu d'envie qu'elle avait de se séparer de lui.

— Je voudrais... que tu me tiennes encore un peu ainsi.

— Juste te tenir?

— Non! s'étrangla-t-elle.

Elle le désirait déjà, désespérément.

— Aime-moi, supplia-t-elle. Aime-moi encore, je t'en prie.

Les caresses de Dustin se firent pressantes, presques violentes. Il l'étreignit à l'en étouffer, s'emparant à nouveau de son corps avec une fièvre qu'il ne s'était jamais vue. Par-dessus le tonnerre qui s'amplifiait dans son esprit, Tina l'entendit prononcer ces mots, d'une voix rauque :

— Je t'aime.

— Je vois des étoiles, observa-t-elle. La pluie a dû cesser.

Tous deux se trouvaient dans la baignoire, se détendant au milieu des bulles apaisantes, se remettant peu à peu de leurs émotions.

— Oui, dit Dustin en levant les yeux vers le plafond vitré. Mais ce n'est que temporaire. Un autre front arrive, qui sera là demain en fin d'après-midi.

— D'où tiens-tu cela? Tu es météorologiste à présent?

– Désolé. L'habitude. Mon père était entrepreneur pour de nombreux fermiers. Et la vie de ces gens-là dépend du temps qu'il fera.

– Vraiment?

– Oui. Une pluie torrentielle peut retarder de plusieurs semaines un projet de construction ou anéantir une récolte entière.

– Je reconnais n'avoir jamais pensé à cela, avoua-t-elle. Dustin, pourquoi as-tu décidé de devenir policier plutôt qu'entrepreneur?

– Je ne sais pas mais je reste certain d'une chose, c'est qu'un entrepreneur gagne dix fois plus qu'un flic!

– Allons, tu devais bien avoir une raison. Aurais-tu joué les rebelles?

– Contre qui? Mon père? Certainement pas. Mais il aurait bien aimé voir son fils reprendre les affaires de famille, je crois. Cependant, il m'a toujours laissé entendre que je pouvais faire ce que je voulais.

– Et... tu voulais travailler dans la police. Pourquoi?

– Je pensais que je trouverais une différence dans ce métier. Tu as vu ces traces de couteau que je porte sur la peau?

– Je croyais que tu les avais eues...

– Dans l'exercice de mes fonctions? Non. Je les ai attrapées en tentant d'empêcher mon meilleur ami d'arrêter un bus à mains nues. Nous étions à l'université. Il avait reniflé un peu trop de poudre et il se prenait pour Superman.

Dustin resta un instant silencieux, puis poursuivit:

– Je voulais juste savoir si je pouvais parvenir à épargner ce genre d'accident aux autres. Voilà pourquoi je suis devenu flic.

Tina comprenait à présent le côté sombre de la personnalité du conseiller. Il avait fréquenté d'assez près la misère, pour ensuite faire marche arrière. Ce qu'elle saisissait moins était cette sorte de douleur lancinante qui la prenait lorsqu'elle pensait à lui. Serait-ce que d'autres appelaient l'amour? L'amour inconditionnel et éternel? Sans doute n'était-ce que ceci, le désir de donner, d'apaiser, de procurer la joie ou la lumière à un esprit trop sombre...

D'un seul coup, la peur s'empara d'elle en lui serrant si fortement le cœur qu'elle en ressentit un malaise. « C'est trop! lui insinuait une voix venant du plus profond d'elle-même. Je ne suis pas prête! Je ne suis pas assez forte! » Ce genre d'amour demandait une bonne dose de courage et d'engagement. Et Tina n'avait pas le temps pour cela. Pas maintenant, pas aujourd'hui! Il lui restait tellement à faire.

– Tina, qu'y a-t-il?

La jeune femme émit un rire mal aisé.

– Quand je pense que je t'ai un moment soupçonné de ne pas connaître la rue! Est-ce toi qui as construit cette maison?

– En partie, oui. Avec l'aide de Logan. Il en a dessiné les plans avec sa femme. Voilà pourquoi la cuisine a une telle ampleur et t'a paru si pratique.

– Et qui a pensé à cette baignoire?

— Je me suis offert un petit cadeau d'après-divorce, marmonna-t-il avec un embarras qu'elle trouva touchant.

Après un long baiser, ils se décidèrent enfin à sortir du bain afin d'aller déguster une des préparation du fin cuisinier qu'était Dustin. Ils parlèrent gaiement, rirent et s'aimèrent encore, dans le grand lit cette fois, en prenant tout le temps du monde.

— Tina, pourquoi fais-tu cela?

— Quoi?

— Tu trembles quand je te dis que je t'aime.

— Je ne sais pas, soupira-t-elle. Peut-être que cela me fait peur.

— Ma chérie, qu'y a-t-il de tellement effrayant à être aimée?

— C'est... l'amour en retour qui me semble si difficile, mentit-elle.

— Alors, ne me le rends pas. Simplement... sois près de moi.

Mais être auprès de lui était merveilleux! Se trouver dans sa maison, dans son lit, dans ses bras... Jamais elle ne voudrait partir. Le nœud se serra encore dans son estomac et elle demeura ainsi, pensive, jusqu'au moment où elle perçut la respiration régulière de Dustin qui s'était endormi près d'elle. Des larmes lui coulèrent le long des joues. Parce qu'au lieu d'admirer l'infinité du ciel étoilé, elle n'y voyait qu'une interminable rangée d'obstacles infranchissables.

En s'éveillant, Dustin comprit immédiatement que Tina était partie. Le vide désolant de son cœur lui assurait qu'elle l'avait quitté. Peut-être en était-il sûr parce que, d'une certaine manière, il avait envisagé ce départ.

Il chercha un mot d'elle mais le seul indice qu'il trouva fut un numéro de téléphone, griffonné sur un morceau de papier abandonné sur le bar de la cuisine. Lorsqu'il en composa les chiffres, il tomba sur la station de taxi de Los Padres. Le conseiller raccrocha et, consterné, se prit la tête entre les mains.

Seule sur le trottoir, Tina regarda partir le taxi et essuya une larme de sa joue. C'était une matinée délicieuse, de celles qui donnent l'impression que le monde entier est en train de renaître. L'air était pur et sentait bon la pluie dont les gouttes étaient encore suspendues aux brins d'herbe ou aux arbustes. Sur le ciel bleu lavande, quelques cheminées laissaient échapper leur fumée au parfum épicé. Le livreur de journaux qui faisait sa tournée du matin, un peu ahuri devant ses yeux rougis et sa chevelure décoiffée, tendit un exemplaire à la jeune femme en lui adressant un bonjour sonore.

Trop abrutie pour chercher la clé dans son sac, elle frappa la porte d'entrée. Josh vint lui ouvrir et, en l'apercevant, prit un air absolument réjoui.

— Tante Tina! Devine... Je vais bientôt avoir un petit frère ou une petite sœur!

— Oh... répliqua-t-elle faiblement avant de lever les yeux sur le visage radieux de Lisa. Vraiment?

Sa sœur acquiesça tandis que son mari arrivait derrière elle pour l'entourer de ses bras.

138

— Mes félicitations, dit alors Tina. Je sais combien vous en désiriez un autre. Je suis très heureuse pour vous deux.

— Je n'aurai même pas à partager ma chambre, ajouta le petit garçon. Sauf quand il sera plus grand et si je veux seulement.

— C'est vrai, s'alarma Tina en essayant de ravaler ses pleurs. Vous allez avoir besoin de ma chambre à présent.

— Non, pas encore! la rassura Lisa. Ne t'en fais pas pour cela, ma chérie. Tu auras de toute façon fini ta thèse bien avant. Et puis, rien ne presse.

— En fait, observa-t-elle en baissant les yeux, je crois que j'ai terminé tout ce que j'avais à faire ici. Il me reste deux ou trois détails et je pourrai vous laisser tranquilles.

— Oh non, Tina, je t'en prie. Tu ne vas pas partir maintenant?

— Si, il le faut, expliqua-t-elle à voix basse. C'est juste le bon moment. Mais je suis ravie de la nouvelle. C'est... merveilleux.

Enfin, elle parvint à se réfugier sous une douche réconfortante, heureuse que les nouvelles préoccupations de sa sœur l'empêchent de remarquer qu'elle avait fait irruption chez eux à six heures du matin, ébouriffée et le visage défait, malheureuse et en larmes.

Dustin se rendit d'abord dans son bureau. En chemin, il s'était battu avec lui-même sur le moyen à trouver pour faire revenir Tina. Sa première impulsion avait été d'aller la chercher chez sa sœur, afin de lui parler en face. Mais, si elle avait fui, c'était sans doute parce qu'elle avait peur. Peur de s'engager, peur d'une trop grande intimité, peur de l'amour. Et la poursuivre n'arrangerait pas les choses.

Assis à sa table de travail, il se mit à feuilleter l'annuaire pour y trouver l'adresse de plusieurs refuges féminins. Puis il ressortit, se sentant vaguement coupable d'aller chercher la jeune maman mexicaine et ses enfants sans même en avertir Tina. Il savait qu'elle aurait aimé être présente. Mais, jugea-t-il avec rancœur, c'était bien sa faute. C'était elle, et elle seule, qui avait fui à la fois ses responsabilités et l'amour qu'il lui offrait.

Pourtant, à mi-chemin du parking abandonné, Dustin lâcha le plus beau juron dont il était capable et décida brusquement de faire demi-tour.

— Conseiller James, déclara la jolie femme blonde chez qui il venait de frapper. Quelle bonne surprise! Tina n'est pas là en ce moment. Je suis sa sœur. Vous ne vous souvenez peut-être pas mais nous nous sommes rencontrés à une réception donnée en votre honneur. Voici mon mari, Richard, et Josh, mon fils.

— Monsieur le conseiller, le salua le pilote. Entrez donc prendre une tasse de café.

— Euh... non merci. Je n'ai pas vraiment le temps. Mais vous ne sauriez pas, par hasard, où elle est allée?

— Je regrette, reprit Lisa. Je ne sais jamais où

elle se rend lorsqu'elle s'habille ainsi. Et je préfère ne pas le savoir, voyez-vous.

Dustin sentit un frisson glacé lui remonter le long du dos.

— Comment... était-elle habillée?

— Oh, eh bien... en vagabonde.

Le parking était désert. Tina avait cherché et appelé en vain, mais se refusait à croire que la femme et ses enfants avaient pu disparaître ainsi. Elle se tenait à présent au milieu de tout ce vide, se sentant aussi désolée et abandonnée que son environnement.

Ils étaient partis. Dustin ne serait jamais venu les retrouver sans elle. Elle en était certaine. Alors, ils avaient fui d'eux-mêmes, trop effrayés pour lui faire confiance. Mais où? Comment allait-elle les retrouver? Si, au moins, elle n'avait pas attendu aussi longtemps. Si, au moins, elle en avait parlé plus tôt à Dustin. Dustin...

Au-dessus d'elle, grondait un ciel menaçant. Où se trouvaient ses amis, Binnie et Clarence? Après les pluies torrentielles de la veille, le fossé devait être impraticable. Il ne lui restait plus qu'une solution : visiter tous les abris et refuges qu'elle connaissait.

Un vent hostile et glacé se leva, lui fouettant les joues mouillées de larmes et s'insinuant sous son manteau. Tremblante de froid, démoralisée, pour la première fois de sa vie, Tina comprenait enfin le véritable désespoir des sans-abri.

11

IMMOBILE au milieu du parking abandonné, Dustin fourra les mains dans les poches de son blouson de cuir. Il songea d'abord que Tina avait poussé la famille mexicaine à fuir cet endroit. Un tel manque de confiance de la part de la jeune femme lui tailladait le cœur. Pourtant, en y repensant, il ne voyait pas comment elle aurait eu le temps de parvenir à pied jusqu'ici, et encore moins comment elle aurait pu les pousser seule à réunir leurs pauvres biens et à la suivre afin de se rendre à l'abri le plus proche.

Non, il en était à présent certain : elle n'aurait pas tenté de faire déménager ces pauvres gens sans un appui quelconque. Sans son appui...?

Cette idée ne le consola pas pour autant. La famille était partie. Tina était partie. De rage impuissante, il saisit une canette de bière vide et l'envoya sauvagement se briser contre le mur de l'ancienne station d'essence. Puis il monta dans sa voiture et conduisit lentement vers la mairie.

« Bizarre, pensa-t-il, j'ai à ma disposition une

brigade entière de policiers et je suis incapable de retrouver la femme que j'aime. »

Au lieu de pénétrer dans le bâtiment, il remonta la fermeture de son blouson et partit en direction de Cleveland Street. En marchant il se demanda pour la centième fois s'il désirait partager sa vie avec Tina où... s'en débarrasser une bonne fois pour toutes. Mais une chose était sûre : jamais, plus jamais, il ne repasserait par le chagrin de se réveiller seul après une nuit d'amour, sans aucune explication.

Il faisait froid, un nouvel orage menaçait. Dustin se représenta la jeune psychologue emmitouflée dans son vieux manteau et transie. Sans aucun doute, il s'inquiétait pour elle. Pire, il était tombé amoureux d'elle. Et, en dépit de la peine qu'elle lui avait causée en le quittant, il voulait être certain qu'elle ne risquait rien. C'était tout.

– Bonjour, m'sieur le conseiller, l'interpella Gunner. Je peux faire quelque chose pour vous?

– Euh, oui... Vous n'auriez pas vu Tina, ce matin?

– Si. Elle est passée ici, il y a un petit bout de temps. Elle cherchait ses amis... Je pars boire un café. Vous avez l'air d'un homme qui en aurait besoin aussi. Je vous l'offre.

Dustin hésita quelques secondes. A la vérité, il avait filé de chez lui sans se doucher, se raser, ni prendre de petit déjeuner.

– J'accepte volontiers.

Devant leur tasse, ils discutèrent de la famille mexicaine qui avait disparu.

– J'aurai au moins appris quelque chose dans ma vie, expliqua Gunner. C'est que, lorsque quelqu'un décide de s'en aller, rien ni personne ne peut le retenir.

– Sans doute parce qu'elle n'avait personne vers qui se retourner.

– Beaucoup de sans-abri ont ce problème, monsieur le conseiller. Ils ne font confiance à personne. C'est comme ça. La peur, ça vous motive votre bonhomme.

– Oui et j'ai bien peur qu'elle soit encore plus puissante que l'amour, fit amèrement remarquer Dustin.

– Là, vous parlez de Tina, observa Gunner avec perspicacité.

– Je lui ai promis que je ne lui ferai jamais de mal. Et elle s'est enfuie.

– Vous avez, ce que je dis des gens de la rue est valable pour n'importe qui s'étant brûlé les ailes. C'est difficile de faire confiance à quelqu'un, après. J'ai bien vu qu'elle avait peur.

– Elle a peur de moi. Elle a peur de s'engager...

– Peut-être et vous ne pourrez rien changer à ça, vous le savez. Elle seulement peut y changer quelque chose. La race humaine est bizarre. On ne peut pas forcer quelqu'un à être heureux, à faire confiance à un autre ni à vous aimer.

– Je ne le sais que trop, observa Dustin en se levant avec lassitude. Eh bien, merci pour le café.

– Vous allez partir à sa recherche, hein?

– Oui. Je veux juste m'assurer qu'elle va bien.

– Je comprends.

– Gunner, ayez l'œil sur elle, d'accord.

– Entendu, promit-il. A bientôt, m'sieur le conseiller.

Tina découvrit Binnie au refuge de la Croix-Rouge. Elle lui sembla frêle et fragile, bizarrement diminuée.

– C'est mon arthrite, expliqua la vagabonde. Le froid, ça me fait toujours ça. Et je crois que j'ai attrapé un rhume ou quelque chose. Je me sens pas bien, tu vois?

Tina acquiesça tristement.

– Ils m'ont pris mes affaires. Tu crois que je les retrouverai?

– Écoute, fais confiance à la Croix-Rouge....

– Oui, c'est que j'ai envie de penser. Tu restes? Il y a peut-être un lit pour toi.

– Non. Je cherche Clarence. Tu l'as vu?

– J'ai essayé de l'entraîner ici. Il n'a pas voulu. Pauvre vieux... Tu as essayé l'Allée?

– L'Allée, dit-elle en frémissant au souvenir de ce qui avait failli arriver. Il n'irait tout de même pas là-bas?

Elle songea à Dustin qui l'avait sauvée de ce mauvais pas. Dustin... Non il ne fallait pas penser à lui ni à la manière dont elle l'avait laissée. Sinon, l'amour reviendrait prendre le dessus et elle oublierait le but qu'elle s'était fixé, ses ambitions, tout ce qu'elle avait encore à accomplir.

– Où veux-tu qu'il aille? demanda Binnie.

Haussant les épaules, Tina se décida à partir.

– Hé, tu ne vas pas aller le chercher là-bas?

s'alarma la vagabonde. C'est bien trop dangereux pour toi.

– Je serai prudente. Prends soin de toi. Je t'apporterai des oranges, c'est promis.

Lorsque les premières gouttes de pluie l'atteignirent, Dustin releva le col de son blouson. Se tenant sur le promontoir dominant la ville, il ne voulait pas s'avouer battu, même après cet après-midi passé à écumer les quartiers où il savait que les sans-abri pouvaient se rendre. Ou Tina ne s'y trouvait pas, ou il l'avait ratée.

Il était repassé devant le kiosque de Gunner, au cas où celui-ci aurait eu des nouvelles fraîches, mais il l'avait trouvé fermé. Peut-être l'infirme était-il lui aussi parti à sa recherche? se força-t-il à penser pour se rassurer.

Qu'il était difficile de s'avouer que désirer éperdument quelqu'un ne suffisait pas à le ramener! Jusqu'ici, il avait eu beaucoup de chance avec les femmes. Chaque fois qu'il avait été attiré par l'une d'elles, il était aisément parvenu à la faire tomber dans ses bras. Rien à voir avec les doutes, l'inquiétude et la douleur qui le tourmentaient aujourd'hui.

Et pourquoi se torturait-il l'esprit avec cela? Parce qu'il aimait Tina et la voulait près de lui. Maintenant et pour le reste de sa vie... Mais cela ne suffisait pas. Gunner le lui avait bien dit : on ne peut pas forcer quelqu'un à vous aimer.

« La vie est trop courte », songea-t-il avec aigreur. Il avait vécu sa part d'enfer. A présent il méritait qu'on l'aime, qu'on lui fasse confiance, qu'on le chérisse... Et si Tina n'avait pas le courage de faire violence à son cœur pour lui...

La pluie tombait de plus en plus fort, lui fouettant le visage comme des bris de verre. C'était une nuit détestable et la jeune femme se trouvait dans la rue, là-bas, quelque part. Mais elle l'avait choisi et Dustin savait qu'il ne pouvait rien y faire.

En redescendant le chemin glissant vers la voiture, il sentit un froid glacial s'abattre sur la ville et dans son cœur.

L'Allée ne paraissait pas aussi sinistre, la nuit, se rassura Tina. Les lumières envoyaient leurs reflets dorés sur les trottoirs mouillés et donnaient aux gouttes de pluie l'aspect féérique de la poussière de diamant. Des néons crus éclairaient l'entrée des bars et des sex-shops, apportant à la rue un faux air de fête.

Devinant des regards se poser furtivement sur elle, elle regretta son chariot qui lui aurait servi d'arme éventuelle. Sans lui, elle se sentait nue et sans défense.

– Clarence? appela-t-elle plusieurs fois en vain.

Puis tout à coup, émergeant de nulle part, un bras maigre et sinueux, s'agrippa au sien pour l'attirer dans un recoin sombre. Elle n'eut même pas le temps de crier à l'aide qu'elle se trouvait déjà plaquée contre un mur froid, une main ferme lui encerclant la gorge, l'autre la menaçant d'un canif.

– Donne-moi ton fric!

— De l'argent, balbutia-t-elle en réprimant diffi-cilement une absurde envie de rire.

— Allez, je sais que t'en as planqué quelque part. Toutes les clochardes en ont. Où c'est? Dans tes chaussures, dans ta doublure?

Tina ouvrit la bouche mais aucun son n'en sor-tit. Hypnotisée par le couteau, elle secoua la tête désespérément la tête.

— Écoute, je te veux pas de mal. Je veux simple-ment de l'argent. J'en ai très besoin.

Un junkie, pensa-t-elle. Qui d'autre serait assez fou pour attaquer une vagabonde? Dustin l'avait prévenue...

— Dans... dans mon sac.

— Donne.

L'arme s'éloigna quelque peu de son visage. Le cœur de la jeune femme battait à cent à l'heure lorsqu'elle devina la voix derrière son agresseur.

— Win? C'est toi?

— Clarence! s'étrangla-t-elle terrorisée avant de se jeter éperdument contre le drogué qui avait eu le tort de se retourner.

L'arme brilla devant ses yeux. Tandis qu'elle se battait comme une enragée, avec un instinct ani-mal, Tina ne songeait qu'à se protéger le visage et la gorge tout en cherchant à s'interposer entre le canif et Clarence. Elle ne sentit pas la lame. Elle ne s'aperçut même pas qu'elle lui avait entaillé le bras. Elle ne sentait plus rien.

— Tina! rugit alors une voix qu'elle connaissait bien.

L'agresseur se releva d'un bond pour voir

déferler sur lui un colosse roulante, agitant le bras comme un moulinet d'acier. Il poussa un cri rauque de panique et s'enfuit, laissant tomber son couteau qui alla atterrir dans le caniveau.

— Ça va, petit! demanda doucement Gunner.

— Oui, mais je crois qu'il a eu Clarence.

— Non, précisa-t-il après s'être approché du corps étendu inerte sur le trottoir. Il saigne beaucoup, mais il est vivant.

Ce furent les dernières paroles qu'elle entendit.

Dustin se trouvait à mi-chemin de sa maison, lorsqu'il aperçut dans son rétroviseur les girophares de la police.

— Zut, je vais me faire pincer pour excès de vitesse, marmonna-t-il en s'arrêtant sur le bas-côté.

Alors qu'il sortait déjà ses papiers, un policier en ciré jaune arriva à la hauteur de son véhicule. Le conseiller abaissa la vitre, clignant des yeux devant les gouttes de pluie et la lampe torche braquée sur lui.

— Êtes-vous Dustin James? Désolé de vous importuner, monsieur, mais j'ai ordre de vous raccompagner en ville.

Quelques instants plus tard, Dustin roulait aussi vite mais précédé d'une escorte et d'une sirène.

Les portes automatiques à l'hôpital des Sœurs de la Pitié n'étaient pas assez rapides pour le conseiller qui manqua de passer au travers.

— Où est-elle? demanda-t-il fébrile en remarquant Logan qui parlait à deux policiers.

— Elle va bien, ne t'inquiète pas. Ils sont tous les deux en salle d'opération.

— Tous les deux ?

— Oui, un des sans-abri. Clarence, à ce que j'ai cru comprendre.

— Ah, un de ces amis. Logan, dis-moi ce qui lui est arrivé.

— Un junkie, armé d'un couteau... lâcha-t-il en soupirant. Ledit Clarence s'est interposé et Tina en a profité pour se jeter sur son agresseur, d'après celui qui les a sauvés tous les deux. Un homme en chaise roulante ! C'est lui qui a demandé qu'on te prévienne.

— Gunner ! Où est-il ?

— Dans la salle d'attente.

Sans perdre un instant, Dustin se précipita.

— Monsieur le conseiller, articula l'infirme dans un sourire piteux. J'aurais aimé arriver plus tôt, vous savez.

Sans trouver les mots pour le remercier, Dustin ne put que lui serrer chaleureusement la main avant de se laisser tomber dans un fauteuil.

Pâle mais toujours aussi belle, Tina dormait à présent en salle de réanimation. Son visage n'avait pas été touché, grâce au ciel, et les coupures restaient superficielles. Son épais manteau lui avait sans aucun doute sauvé la vie.

Bouleversé, Dustin ne put s'empêcher de lui passer le revers de la main sur la joue. Il se sentait responsable de ce qui venait de lui arriver. Il était la raison pour laquelle la jeune femme se trouvait là, le bras percé d'une intraveineuse. Il était allé trop vite, l'avait poussée trop loin dans ses retranchements. Et Tina l'avait fui, paniquée, en tentant d'échapper à ses sentiments pour lui. Elle en avait oublié toute prudence.

— Ma chérie, je m'en veux tellement, murmura-t-il.

Quelques heures plus tard, la jeune psychologue émergea de son rêve pour découvrir Dustin qui lui tenait la main.

— Suis-je en train de mourir? demanda-t-elle d'une voix à peine audible.

— Non, sourit le conseiller en lui effleurant le front du bout des doigts. Tu vas bien. Un peu choquée, c'est tout.

— Et Clarence?

— Il se remet doucement aussi. Ta sœur est venue. Elle a prévenue tes parents qui seront là bientôt.

Encore sous l'effet du traumatisme, Tina laissa couler un larme. Elle ne voulait pas qu'il parte mais ne savait comment le lui dire.

— Dustin...

— Chut, ne pleure pas. Je regrette ce qui t'est arrivé. Cela n'aurait jamais dû se passer. Je n'aurais pas dû te... forcer ainsi. Je n'aurais pas dû te dire que je t'aimais. Je savais que tu n'étais pas prête pour cela.

— Dustin... répéta-t-elle dans un murmure.

— Tina, je voudrais que tu saches que je ne t'ennuierai plus. Ce n'est plus la peine de fuir ni de te cacher. Mon amour pour toi ne nous

151

apporte rien de bon. Cela ne nous crée que de la douleur. Aussi... je vais disparaître de ta vie. Je pars, maintenant. Repose-toi bien. Et si vraiment tu as besoin de moi, tu sais où me trouver.

La jeune femme voulut l'appeler, le retenir, mais son cri ne fut qu'un soupir allant mourir devant la porte qui se refermait. Elle venait enfin de comprendre combien Dustin comptait pour elle et... il était parti.

Lorsqu'elle s'éveilla, quelques heures plus tard, sa mère se trouvait à son chevet, qui lui tenait la main.

— Dustin, soupira-t-elle dans un demi-rêve.

— C'est moi ta mère, ma chérie.

— Oh, maman, que vais-je devenir? pleurat-elle avant de lui révéler l'amour qui déchirait le cœur.

Les deux femmes parlèrent longuement, l'une racontant à l'autre comment elle s'était parfaitement sortie de l'engagement personnel qu'exigeaient une vie à deux, l'éducation des enfants, l'entretien d'une maison et tout se qui en découlait. Cela devenait un dévouement, un don personnel de soi à celui que l'on aimait et non une prison comme le croyait Tina. Rassurée par les paroles apaisantes de sa mère, la jeune femme décida de réviser son jugement et se promit d'en discuter avec le conseiller.

Devant le panneau de bois tout neuf où elle pouvait lire « D.E. James », Tina hésita, rabaissa la manche de son sweater sur les cicatrices de son bras et frappa.

— Entrez, lâcha une voix familière qui lui fit bondir le cœur.

Il se tenait debout derrière sa table de travail, comme le premier matin où elle l'avait vu. Mais, cette fois, il souriait, son expression ayant perdu toute trace de gravité. Le conseiller paraissait seulement un peu attentif et quelque peu vulnérable. Tina savait combien elle l'avait blessé en le fuyant et elle faillit perdre tout courage de lui parler.

— C'est bon de te revoir, articula-t-il. Comment vas-tu? Tu as l'air en pleine forme.

« Je ne vais pas bien du tout. Tu me manques de trop... »

— Ça va... Le docteur m'a ôté les points de suture.

— Bien... Et Clarence?

— Il s'est bien remis aussi. On l'a transféré dans l'hôpital du centre et il est en bonne voie de guérisson.

— Tant mieux... Que puis-je faire pour toi?

« Me pardonner...? »

— Je cherche Binnie. Gunner m'a dit qu'elle avait reçu un logement et que... tu pourrais me renseigner sur l'endroit où elle habite.

Dustin la gratifia de son plus beau sourire, celui qu'elle aimait tant lui voir. Son cœur se mit à battre plus fort.

— C'est vrai. Je vais te donner l'adresse... Voici.

Tina saisit la feuille de papier que lui tendait le conseiller, la lut puis leva vers lui un regard intrigué.

— Mais, ce n'est pas... C'est...

– Mon adresse, je sais. Binnie travaille à la maison, à présent. Elle ne cuisine pas mal, mais il faut aimer les légumes. Elle y tient. Elle prévoit même d'installer un potager dans mon jardin.

– Oh... déclara Tina en se laissant tomber dans le fauteuil.

– Est-ce pour Binnie? interrogea Dustin en indiquant la boîte qu'elle portait sous le bras. Je peux la lui remettre, si tu veux.

– Non, balbutia-t-elle en posant l'objet sur la table. C'est pour toi.

– Pour moi?

« C'est trop tard, je lui ai déjà fait trop de mal », pensa-t-elle en l'observant défaire le nœud et déplier les papiers de soie pour en sortir un bonnet violet à pompon et une perruque grisonnante.

– Pourquoi...? demanda-t-il intrigué.

– Je n'en ai plus besoin.

– Alors, tu as terminé ta recherche?

– Non. J'ai encore beaucoup à faire. Mais je ne veux plus de ce déguisement.

– Et pourquoi me le donnes-tu?

Tina prit peur. Cela ne marchait pas du tout. Elle ne savais comment lui avouer qu'elle en avait fini de se cacher et de le fuir. Et puis, quelle différence cela ferait-il, à présent?

– Je... je voulais juste que tu saches... bredouilla-t-elle en se levant pour lui cacher son visage.

– Tina... Tu as vu cela? coupa-t-il en lui montrant le journal étalé sur son bureau.

JAMES EST CHOISI PAR LE MAIRE POUR

154

DIRIGER LA CAMPAGNE D'AIDE AUX SANS-
ABRI.

Les yeux rivés sur le gros titre, Tina, incrédule,
secoua lentement la tête.

— J'ai toujours besoin d'une partenaire,
hasarda Dustin.

Puis, connaissant le risque qu'il courait, se
sachant probablement fou, il fit le tour de la table
et prit doucement la jeune psychologue par les
bras.

— Tina, pourquoi es-tu venue ici? Pourquoi
m'avoir apporté ceci? Qu'essaies-tu de me faire
comprendre?

— C'est difficile, articula-t-elle en se raidissant.

— Je sais, dit-il soudain saisi d'une immense
tendresse. Mais, avec un peu de pratique...

— Je... je t'aime, avoua-t-elle en fermant les
yeux.

— Et voilà, reconnut-il dans un sourire. Ce
n'était pas si méchant, n'est-ce pas?

— J'ai l'impression que je viens de tomber du
vingtième étage, souffla-t-elle tremblante.

— Répète-le, pour te sentir plus à l'aise.

— Je t'aime.

— Et puis...

— Je ne te fuierai plus jamais.

— Promis?

— Promis. Oh, Dustin...

— Je voudrais te prendre contre moi, mais j'ai
peur de te faire du mal. Où souffres-tu?

— Partout. Nulle part. Mais serre-moi, je t'en
prie.

Alors qu'il entourait de ses bras, Tina songea avec quel bonheur elle avait besoin de lui. Levant vers lui un regard baigné de reconnaissance, elle fut envahie d'une merveilleuse sensation de joie, d'amour et de certitude.

Elle comprit soudain que la vie serait belle avec Dustin.

CLUB PASSION

Nos trois parutions
d'octobre 1989

No 55 *Vent des sables* par Iris JOHANSEN

Oui, Damon El Karim, cheik des El Zabor, a le droit de vie et de mort sur son peuple. Non, il n'a pas le droit d'enlever leur fils Michael à sa mère, Corinne Brandel. Et si la jeune femme suit Damon dans son palais des sables, si elle accepte son horrible marché, c'est pour kidnapper à son tour cet enfant qu'elle refuse de lui abandonner. Dans un décor de fraîches mosaïques, de fontaines qui chantent tandis que les tribus nomades errent dans le désert, le cheik et la journaliste préfèrent se déchirer plutôt que d'admettre la flamme de la passion.

No 56 *Soleil d'émeraude* par Fayrene PRESTON

Qu'il n'y ait pas de neige au mois de décembre à Dallas contrarie Kathy Broderick, habituée au climat plus rude du Connecticut, où elle a laissé famille et amis. Un banal accident de bicyclette va la jeter littéralement dans les bras de Paul Garth, brillant homme d'affaires qui cache un lourd secret dans le fond de son cœur. Mais il va changer la vie de la petite provinciale...

No 57 *Tucker Boone* par Joan Elliott PICKART

Tucker Boone est un Texan aux allures de cow-boy. Quand son grand-père lui lègue un majordome en plus de sa propriété de Houston, Alicia Murdock, avocate débutante, a du mal à le convaincre d'accepter cet héritage peu ordinaire... et encore plus de mal à résister à son charme. Pour elle, sa carrière prime tout. Mais Tucker la fera peut-être changer d'orientation...

COLLECTION PASSION

Nos trois parutions
de novembre 89

N° 236 *La rose des tropiques* par Kay HOOPER

Séduction et charme, telles sont au prime abord les qualités d'Andres Sereno. Mais l'homme devient impitoyable lorsque entre en jeu son île de Kadeira... ou la sécurité de Sara Marsh. L'enlever reste son seul moyen de la protéger et sa dernière chance de lui faire admettre son amour... La destinée est venue frapper le cœur de la jeune femme. La force lui sera-t-elle donnée d'aimer celui dont l'âme semble entachée de zones obscures?

N° 237 *La rousse et le médecin* par Janet EVANO-VICH

Quand Allison Murphy surprend un lapin dodu en train de croquer à belles dents l'ourlet de sa jupe, elle jure de faire savoir à son propriétaire ce qu'elle pense de telles manières! Là, les charmes du Dr Hunter ont tôt fait d'apaiser sa juste colère. Sa voix de velours l'envoûte aussitôt et l'éclat de ses yeux sombres comme une nuit sans lune fait naître en elle des sentiments ignorés. La fière Allison, éperdument amoureuse, a pourtant fermé son cœur aux hommes après maintes déceptions. Patrick Hunter saura-t-il être assez tenace pour conquérir à jamais la fille aux cheveux de feu?

N° 238 *L'effet de surprise* par Deborah SMITH

Le chanteur de country-music, Brig Mckay, purge une peine de deux mois de prison sous l'œil vigilant d'un ravissant « officier » de police : Millie Surprise. Dès la première rencontre, Brig est séduit par son visage d'ange et son corps de déesse. Il décide de partir à la conquête de son cœur. Du plus profond d'elle-même, Millie désire cet homme qui incarne la perfection. Mais elle craint que son métier, si peu conventionnel pour une femme, ne représente un obstacle à leur amour.

LA COMPOSITION, L'IMPRESSION ET LE BROCHAGE DE CE LIVRE
ONT ÉTÉ EFFECTUÉS PAR LA SOCIÉTÉ NOUVELLE FIRMIN-DIDOT
MESNIL-SUR-L'ESTRÉE
POUR LE COMPTE DES PRESSES DE LA CITÉ
LE 28 JUILLET 1989

Imprimé en France
Dépôt légal : septembre 1989
N° d'impression : 12265